JN334323

ハンディ版

デビッド・レッドベター 著

モダン・ゴルフ徹底検証

塩谷 紘 訳
Ko Shioya

ベースボール・マガジン社

Originally published in English by CollinsWillow,an imprint of HarperCollins Publishers Ltd,
under the title:THE FUNDAMENTALS OF HOGAN by David Leadbetter

Copyright © David Leadbetter,1999
The Author asserts the moral right to be identified as the Author of this Work.
Published by arrangement with HarperCollins Publishers Ltd.,London through Tuttle-Mori Agency,Inc.,Tokyo

目次

PREFACE

はじめに

多くのゴルファーの場合と同じように、わたしはゴルフのレッスン書を読むことがずっと前から好きだった。少年時代は、当時〝ビッグ・スリー〟と呼ばれてゴルフ界に君臨していたアーノルド・パーマー、ジャック・ニクラス、ゲーリー・プレーヤーの３人が説くスウィング論に夢中になり、しばしば学校のラテン語のクラスにゴルフの本を持ちこんで、教科書の表紙を被せてひそかに読み耽ったものだ。ゴルフというゲームはわたしを心底から夢中にさせてくれた。古代ローマ人たちより何倍も……である。結局わたしは18歳でプロ・ゴルファーになった。そしてツアーに参戦したり、自分の所属するクラブでゴルフを教えたりする生活のなかで、あらゆる機会を利用して各種のレッスン書を継続的に読み、スウィングの実験を繰り返した。

ある著者が特定の考え方にこだわる一方で、別の著者はそれとまったく逆としか思えないことを主張するが、それでいて両者とも自説が正しいことを証明するたしかな例証を上げていることを、わたしは不思議に思ったものだ。ゴルフ関連の著書を読むこととスウィングについて研究することに、わたしは限りない喜びを感じた。新しい理論を読み終えるやいなや、わたしは慌ただしく練習場に駆けつけて実験してみるのだった。ときには勤務を終えたあとの暗闇で、愛車のヘッドライトをつけて練習したこともあった。

自宅にあるわたしの事務室は、どこを見てもレッスン書だらけだが、わたしはときどき、気がつくとそのなかの一冊になかば無意識に手を伸ばしていることがある。思うにこれは、どの本もかならず何かを教えてくれるからなのだろう。たとえば、全英オープン選手権を６回制覇したハリー・バードンが書き残したことには、いまなお学ぶことは多いし、ボビー・ジョーンズ、バイロン・ネルソン、ベン・ホーガン、サム・スニード、ジャック・ニクラス、あるいはトム・ワトソンなどの名選手がものした著書から得るヒントは、非常に役に立つ。これほど長い期間にわたってゴルフを教えていても、まだ学ぶことが多いという事実こそ、わたしがゴルフに魅せられる理由なのである。

自宅の書庫に並ぶ数多くのゴルフ関係の書籍のなかで、わたしはベン・ホーガンの著書や数々の記事をいちばん熱中して読んだ。昔からホーガンをショット・メーキングの神様とみなしてきたから、わたしは彼が書いたものを興味津々で読んだ。ホーガンがゴルフ雑誌のために書いた記事はもちろんのこと、処女作『パワー・ゴルフ』(原題、〝Power Golf〟、1948年刊)や、いまや古典になった『モダン・ゴルフ』(邦訳は1958年に刊行。ベースボール・マガジン社。原題は〝Five Lessons: The Modern Fundamentals of Golf〟、1957年刊）をとおして巨匠が語ったことの本当の意味を、正しく理解したかったのである。わたしはホーガンの書き物を何回も繰り返して読み、とても多くのことを学んできた。わたしはこの巨匠が書いたことを際限なく分析してきた……いや、そうしてきたと自負している。ホーガンの理論を継続的に研究し、多くのことを学んだ。また、わたしはホーガンの理論のある部分からヒントを得ると同時に、自分なりの理論も構築してきた。そして、ホーガンの説を多角的に検証してきたのである。

ホーガンが書き残したもののなかで、わたしは特に『モダン・ゴルフ』に一貫して深い興味を抱

いてきた。同著は、元はといえばスポーツ誌の「スポーツ・イラストレーテッド」の連載記事として世に発表されたものであり、自分自身のスウィング作りのためにホーガンが払った努力の直接的な成果を綴った記事の集大成である。ホーガンは、正しくて力強く、毎回同じ軌道で反復できるスウィングの追求に一切の妥協を許さず、その結果、ついに目標に到達したのだった。そして彼は、こうして作り上げたスウィングを、メジャー選手権という最高レベルの技術が競われる究極の試練の場で試し、それが十分以上に通用することを知ったのである。ホーガンはマスターズ選手権を２度にわたって制覇したほか、全米オープン選手権で４度、全英オープン選手権で１度（１度しか出場していない)、全米プロ・ゴルフ選手権で２度優勝しているが、この華々しい記録をすべて1946年から53年までの８年間で達成している。その結果、自分には活字をとおしてゴルフに貢献するものがあるとホーガンが感じたのは、当然のことだった。

プレッシャーがかかったときに頼りになるスウィングが作れたことに満足した結果、ホーガンの『モダン・ゴルフ』執筆の用意が整った。作業はまず、「スポーツ・イラストレーテッド」のために５本の連載記事を書くことから始まった。1956年６月、同誌はホーガンの生まれ故郷テキサス州のフォートワース市に専属ゴルフ・ライターのハーバート・ウォレン・ウィンド記者と、腕利きの医学関係のイラストレーター、アンソニー・ラビエリを派遣した。ところが、後日ウィンド記者も書いているように、その時点でホーガンは、「正しいゴルフ・スウィングの基本的要素について」というタイトルのレッスン記事を一本書くことしか考えていなかったのである。そこでウィンドとラビエリは、上達のためのスウィング作りに積極的に取り組む意欲を持ったゴルファーに役立つ段階的な練習法があれば、それについて連載記事を書いていただけませんか、と提案した。ホーガンはこの提案が気に入り、３人はフォートワースのコロニアル・カントリークラブでこのプロジェクトについて語り合ったのだった。２回目の会合は57年１月上旬に開かれ、合計５本の連載記事の１回目は「スポーツ・イラストレーテッド」の57年３月11日号に掲載された。全編はそのあと、単行本〝Five Lessons〟として同年後半に刊行された。

〝Five Lessons〟は、ホーガンの処女作〝Power Golf〟とは内容も体裁も異質なもので、あらゆるレベルのゴルファーにとって、〝ゴルフのバイブル〟となった。わたしが知己を得たＵＳＰＧＡツアーの常連は、全員がこの本を読んでいる。98年度の全英オープン選手権の覇者マーク・オメーラは、80年にホーガンに初めて会った。オメーラは79年に、ホーガン・モデルのクラブを使って全米アマチュア選手権で優勝している。プロに転向したオメーラは、ホーガン・モデルのクラブの販売会社とクラブ使用契約を交わした。契約の席でホーガンは、初対面のオメーラにつぎのように述懐したという。……自分はスウィングの問題のある部分を一つひとつ矯正してマスターしていったが、夜ごとベッドのなかでスウィングについてさまざまな思いを巡らせては、朝になると練習場に駆けつけて、新しいアイデアを納得の行くまで試したものだ、と。ホーガンは、自分が考えついたアイデアのうちで役に立つ部分は残し、頼りになるスウィング作りのプランにそぐわないと判明した部分は切り捨てていったのである。ホーガンと交わしたこのときの会話を決して忘れなかったオメーラは、自分のスウィングをホーガン並みに一歩一歩作り上げていったのだった。

現在活躍中のツアー・プロのなかでもっとも安定した選手の一人であるラリー・ネルソンの場合も、同じ範疇で考えることができる。〝Five Lessons〟を夢中になって読んだネルソンがゴルフを始めたのは、21歳になってからのことだ。彼は高度の技術を身に付けるための手引きとして同著を利用し、結果的に83年度全米オープン選手権と87年度全米プロ・ゴルフ選手権に勝っている。〝Five Lessons〟は発刊された日から多くの外国語に翻訳されて、世界中のゴルファーに一貫して大きな影響を与えてきた。アメリカでは、初版が発行されてから40年以上も経た今日でも、相変わらず高い人気を博しているのだ。

わたしの場合は、〝Five Lessons〟は成長期に初めて購入して愛読したレッスン書の一つだった。優雅に表現された地の文はもちろんのこと、この本の優れたデザインは構成と細部への気配りの点で、まさにホーガンの性格をそのまま反映したみごとな出来栄えだった。同著は古典的レッスン書とみなされていたが、わたしの意見でははるか先の時代を先取りした類い希な好著だった。そして同著は、将来のゴルフ・レッスンの規準を設定する名著になったのである。またこれには、ホーガン自身が抱いた疑問を解決するために努力した様子が、あますところなく記されているが、そのようにして払った努力の結晶として探り当てた答えを惜しげなく披露している点で、ホーガン自身の人となりが読者の心に強い感銘を与えるのだ。ちなみに、プロ・ゴルファーの書くレッスン書には、読者に同じような感銘を与える作品が多い点を付言しておく。

ここ数年来、わたしはホーガンが〝Five Lessons〟を執筆してから現在までに、われわれはゴルフのスウィングについてなにを学んできたかという観点から、同著と彼のその他の書き物のなかのいくつかを評価してみたいと思ってきた。だから、98年にそのような執筆をしてみないかという電話を受けたのは、幸運なことだった。電話の主は、本著の版元の社長だった。彼は、半世紀も前にアンソニー・ラビエリが〝Five Lessons〟用のイラストを描くために撮影した未公開の白黒の写真が最近発見されたこと、そして著作権を取得したことをわたしに告げ、これらの写真を資料として検討しながらホーガンの書いたことを吟味してみませんか、と提案してきたのである。わたしは写真を見て、あのホーガンがカメラの前でポーズを取っている姿に心を打たれた。ホーガンが自分のスウィングを細部にわたって熟知していることは、彼が取っているさまざまな異なったポーズから自明だった。いくつかの写真は、通常のスピードでスウィングしているときの体の動きをとらえたものであり、また別の写真は、スウィング中の自分の動作の主要部分を再現したとおぼしきものだった。それらの写真を見て、わたしはこれまでインストラクターとして教えるなかでひんぱんに見てきた、すべてのゴルファーに該当する現象を即座に連想したものである。つまり、〝フィーリング〟と〝現実〟の落差である。

（左から）ハーバート・ウォレン・ウィンド、ベン・ホーガン、アンソニー・ラビエリ

これらの写真の発掘こそ、今回の執筆の直接的なきっかけである。このような執筆活動に従事する機会に恵まれて、わたしは興奮のため身震いするのを感じた。そして、それまでにその年のスケジュールはすでに固まっていたが、なにがなんでもすぐに執筆に取りかかりたいと瞬間的に思ったのだった。このような素晴らしいチャンスをみすみす見逃すことはない。なにしろ、ラビエリが写した写真を発見することは、ゴルフ界で前例のない、〝考古学的大発見〟なのだから。また、今回イラストレーターのキース・ウィットマー氏と一緒に仕事をすることができたのは、わたしにとって非常に幸運なことだったと思っている。氏は、ラビエリの画風やホーガンのテクニックの持つ深い意味を、十分に理解しているからである。

それにしても、ラビエリが写した写真に巡り合うとは、思いがけない幸運だった。ホーガンにゆかりのあるものはすべて、極めて貴重である。今日のトップ・プレーヤーの場合には、写真も映像も、なんでも潤沢に手に入る。ラビエリが残した写真を研究し、ふたたび巨匠ホーガンの名著の分析に多くの時間を費やせる機会が得られたことで、大いに興奮したものである。本著（原題、〝The Fundamentals of Hogan〟）は、そのようなプロセスを経て発刊されるに至ったのである。

デビッド・レッドベター

Best wishes,
David Leadbetter.

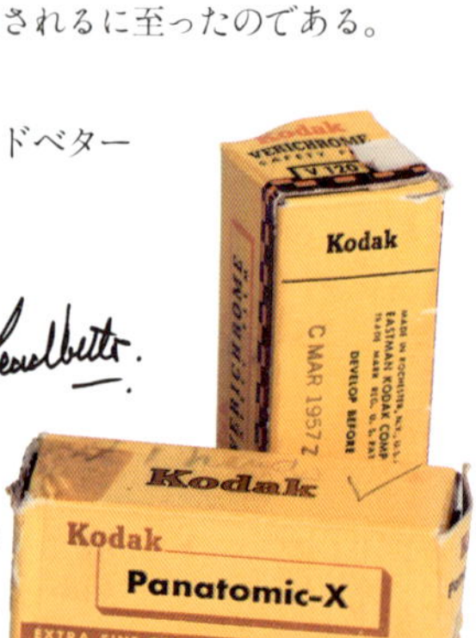

ラビエリはホーガンのスウィングを撮影するために、このフィルムを使った

ACKNOWLEDG

謝辞

本著の執筆を勧められたとき、わたしはゴルフ・スウィングに関して造詣が深くて、『モダン・ゴルフ』の内容を熟知しているライターの助けが不可欠だと考えた。わたしはローン・ルーベンスタイン氏とは長年にわたって、ゴルフについて何度も話してきた仲であり、氏が執筆協力者を務めたニック・プライスや故ジョージ・ヌードソンの著書を読んでもいた。また、氏が多くのゴルフ誌のために書いた記事の質についてもよく承知していたので、氏とならチームを組んでも一緒にうまくやっていけるだろうと感じた。氏はゴルフのテクニックと歴史に対して並々ならぬ関心を抱いており、調査能力も抜群だから、まさに理想的な執筆協力者だったのである。

執筆期間中われわれは、深夜あるいは早朝にでも必要に応じて連絡を取り合い、本著原稿の内容を変更し、磨きをかけ、さらに手を加えるという生活を続けた。本著の執筆はわたしにとって、ゴルフのスウィング作りにも似た、果てしない挑戦のように思えた。あちこちをいじったり、残したり、変更したりしながら、少しでも努力に見合った成果が生まれることを期待する作業だったからだ。そしてその果てに、わたしたちはついに〝プレーする〟時期が到来したと判断した。つまり、２人が書いたことを読者に読んでいただく時期が来たと考えたのである。

わたしは、本著をゴルファー各位に、われわれが執筆を楽しんだ（とはいっても、午前１時を過ぎてまで続いたその作業を毎回楽しんでいたわけではないが）と同じくらい楽しく読んでほしいと思う。わたしたちは、本著をゴルフを愛する人々に役立つような作品に仕上げるために、あらゆる努力を惜しまなかったつもりである。そのような努力の成果が本著に現れていることをひたすら望む。わたしは、特にルーベンスタイン氏の精力的な仕事ぶりと偉大な忍耐心に対して、深い謝意を表したい。わたしと組んだこの仕事のせいで、氏のゴルフの腕が鈍らなかったことを切に願うものである。作業を楽に進めることができたのは、一重に氏のおかげである。

また、本著を印刷するまでの作業の各段階で協力してくれたわたしのスタッフ全員に、お礼を述べたい。暖かいご支援、ありがとう。

さらにわたしは、原稿ができ上がってゆく段階で読み手としてわたしを支援して下さった何人もの人々に感謝したい。弁護士のハーベー・フリーデンバーグ氏には、特にお世話になった。氏がゴルフ関連の書物を真剣に読むタイプの人物であることは、その仕事ぶりから明らかであり、わたしとしては氏は弁護士を辞めて編集者になっても、十分にやっていけると思っている。

そして、本著の担当編集者で多くの貴重な提案を賜ったカーティス・ジレスピー氏にも特別の謝辞を捧げたい。また、発行人であるスリーピング・ベアー・プレス社社長のブライアン・ルイス氏にももちろん、一言お礼の言葉を述べたいと思う。

ここでわたしはさらに、妻ケリーとアンディ、ハリィ、そしてジェームズの３人の子供たちからなる、わたしの素晴らしい家族にも感謝したいと思う。彼らはわたしが本著の執筆に時間を費やす

ことを快く許してくれ、最後まで応援してくれた。家族のこうした後ろ盾がなかったら、本著は決して完成しなかったことだろう。

そして最後に、ゴルフを愛するあらゆる人々を至福へ導くよう、わたしの意欲をかきたててくれた多くのアマチュア並びにプロのゴルファーのみなさんにも、礼を述べたい。みなさんから得たフィードバックは、わたしがより優れたインストラクターになり、コミュニケーターとして育っていく過程で、計り知れない恩恵をもたらしてくれたのである。

デビッド・レッドベター

INTRODUCTION

本著執筆に当たって

もし、いま世界で活躍中のツアープロを対象に投票をおこない、ゴルフ史上最高のショット・メーカーを１人だけ選ばせるとしたら、圧倒的多数がベン・ホーガンの名前を挙げるだろう。彼らの多くは、ホーガンが実際にボールを打つ姿を見たことはない。だがそれでも、彼らはホーガンを１位に推すに違いない。プロ・ゴルファーにとって、「ホーガン」とはショット・メーキングの極致と同義になっているが、巨匠ホーガンの名声はそこまで絶大なのである。

イギリスのゴルフライターでコース・デザイナーでもあるドナルド・スティールは、ホーガンについてつぎのように評している。ホーガンは、「極端な完全主義者で、情け容赦ない競技者だった。

ホーガンはいつも自分のテクニックについて思いを巡らせていた

ボールのコントロールは万全で、ゲームに限りなく専念した。ホーガンはゴルフ史上最高のストローク・プレーヤーであり、存命中にしてすでに伝説的人物の地位を占めたのだった」と。ホーガンは、没後も相変わらず伝説的人物として、ゴルファーの心のなかに生き続けている。1997年に85歳で死去して以来、ホーガンの伝説は増幅する一方だ。今日、ゴルファーがコースでショットをコントロールし、ボールを自在に操ると、仲間は「ホーガンみたいにボールを打っているね」と言う。ゴルファーにとってこれ以上の賛辞はない。ベン・ホーガンは、優れたプレーの規範として、いまなお生きているのである。

ゴルフ史上でもっとも傑出したショット・メーカーとしてのホーガンの名声は、このゲームが地上から姿を消さない限り、おそらく永遠に不滅だろう。また、ホーガンは同時に「ゴルフの近代的インストラクションの父」とも呼ばれてよい、とわたしは考える。なぜならホーガンは、ゴルファーはスウィング・コントロールを可能にする手段として、手と腕ではなく、体の大きな筋肉を使うべきだという教えの、元祖的な存在だからである。ゴルフの近代的訓練法に、ホーガンほど大きな影響を与えた人物はいない。長年の競技生活をとおして鍛え抜かれた周到な観察眼、実戦の場で絶え間なく繰り返したコース・マネジメントとショット・メーキングの試行錯誤的実験、おびただしい数の練習ボールを打ち続けることへの執着、そして完璧であることへの揺るぎない情熱……これらの要素は、ホーガンをゴルフ史上もっとも正確にボールを打つゴルファーに仕立て上げたのだった。

ホーガンは徹底的に練習に打ち込み、思いつくままのさまざまなショットを納得がいくまで試す

クラブハウスのロッカールームでスウィングを練習するホーガン

タイプで、あらゆる機会を利用して自分のテクニックを磨いては悦に入っていた。彼はスウィングを完成させるためなら、ところ構わずクラブを振った。ドライビング・レンジ、車を運転して試合に赴く途中の原っぱ、ホテルの部屋、クラブ・ハウスのロッカールーム……。とにかくクラブが振れるなら、どんな場所でもよかったのである。

ベン・ホーガンは正真正銘の伝説的人物であり、ゴルフ史上最大の尊敬を集めたプレーヤーの一人である。しかし多くの関係者は、ホーガンを例えばサム・スニードと同じ範疇での「生来のプレーヤー」とは見なさなかった。ホーガンは、生まれつきのゴルファーではなかったというまさしくその理由から、求めていた結果を出すために過酷な練習に没頭したし、現役選手として活躍した長い年月の間にスウィングを数回にわたって著しく変えている。自らの努力とそれが生んだみごとな結果をとおして、ホーガンは基本をマスターすれば上達できることを証明したのだった。ホーガンの猛練習は1946年、彼の言う「秘訣」を発見することによって頂点に達した。つまりその年、彼はトーナメント・プレーヤーとして大成することをキャリアの初期に危うくしていた厄介なフックを直す方法を会得したのである。これによってホーガンはショット・メーキングを完全にマスターし、その結果、彼を有名にしたあの堂々たる勝ちっぷりを披露することができるようになったのだった。彼はその後の８年間で、なんと９つのメジャー・タイトルを獲得している。

ホーガンのスウィングを変える能力は凄まじかった。スウィングを変えるために努力したゴルファーならだれでも、それが極めて困難なことをよく承知している。どれほどみっちり猛練習しても、プレッシャーの下では本能と習慣がふたたび鎌首をもたげる。ゴルファーはそれぞれに個性があり、スウィングも人によって異なる。だから、スウィングしている姿を見れば、遠くからでもそのプレーヤーが誰なのかすぐにわかる。

ホーガン自身も、彼なりのフォームでボールを打った。だが彼は、苛酷な自己点検の過程で、自分は特定の理由からショットのコントロールを失う場合があることを感知したのだった。生まれつき体が柔軟だったために、バックスウィングはふつうのプレーヤーより自然に大きくなり、また、かなり手首を使ったスウィングでボールを打っているように見えた。問題は、そのようなスウィン

ホーガンが口を開くと、全員が聞き耳を立てた

『モダン・ゴルフ』の執筆協力者、ハーバート・ウォレン・ウィンドとホーガン

グが活発なレッグ・アクションを伴うことによって、インパクトでクラブフェースのコントロールが失われ、フックを打つ傾向が彼のプロ生活の初期に見られたことだった。

しかしホーガンは、毎回同じ軌道とリズムで反復できる、効果的なスウィングの開発の基盤となる、いくつかの基本的要素を発見した。そして、それを自分のスウィングに組み込むことによって、最後には自分の癖を矯正し、一定期間だったがゴルフを完璧にマスターした、と率直に言ってよいとわたしは思う。その結果、あたかもチェスの巨匠のような精密さでコースを攻める、あのホーガン式の秀逸なゲーム・マネジメントが可能になったのである。彼にとっていかなるフェアウェイも狭すぎることはなく、どのようなピンの位置も決して難しすぎることはなかった。彼のコース・マネジメントと細部に対する気配りは超一流であり、それをスコアが証明していた。1953年にマスターズ選手権、全米オープン選手権，そして全英オープン選手権を矢継ぎ早に制覇したときのプレーこそ、ホーガンのスウィング理論の正当性の証しとして挙げることができるだろう。

その年の全英オープンで、ホーガンはラウンドごとにスコアを縮め、73-71-70-68で優勝することによって、スコットランドの超難コースとして知られるカーヌスティを征服したのだった。ホーガンは毎日、コース攻略法を前のラウンドより少しだけ多く身に付けていったのだった。彼は、リンクスの難コースがもたらす挑戦を退けるための「道具」……つまり、洗練された、シンプルで高度なテクニック……を持ち合わせていたのである。彼が優勝したあとで、イギリスの「ザ・デーリー・テレグラフ」紙はつぎのように書いている。「この期に及んで、ホーガンが史上最高のゴルファーではないと言える者がいるだろうか」と。

ホーガンはゴルフの熱心な研究者ではあったが、他人あるいは自分自身のスウィングを分析するのに、ハイ・スピードのビデオカメラやコンピュータを使う贅沢とは無縁の時代を生きた人間だった。後年彼は、自分の時代にそのような文明の利器があったとしたら、ゴルフのスウィングを10年早く理解していたことだろうと述懐している。

ホーガンはまた、著名なプロ・ゴルファーのヘンリー・ピカードに、ときには助言を求めはしたものの、今日の大半のプロ選手についているような専属のコーチもいなかった。だが、ホーガンの人並みはずれた感性は、多面的な観察能力と、スウィング中の体とクラブの機能を認識する優れた運動感覚と相俟って、大成する土台となったのだった。自分のテクニックを全面的に信頼し、ミス・ショットが出ることを心配しないでスウィングできるようになったとき、彼にとって最大の成功が達成されたのだった。

プレッシャーがかかった状況で頼りになる、正確で力強く、同じプレーン上で反復できるスウィングを絶えず追求し、それをついに達成した段階で、ホーガンは〝Five Lessons〟を執筆した。

ホーガンのこのレッスン書（つまり『モダン・ゴルフ』の原著）は、彼が1953年に３つのメジャー選手権を制覇してから４年後にアメリカで発刊された。すでに述べたとおり、これはホーガンが個人としての深い信条を吐露した著書である。ホーガンが自分自身のためにおこなった、より優れたスウィングの探求について書かれたもので、そのなかで……すでに『パワー・ゴルフ』や数々の雑誌記事を執筆した経験を経て……彼はすべてのゴルファーが、プロ・ゴルファーとして自分が探求してきたことをとおしてなにを学べるかという点について、いくつかの結論を下している。『モダン・ゴルフ』がゴルファーに与えるものは確かに多い。だが、ホーガンの考え方はあくまでも正しく解釈し、適正に理解されなければならない。わたしはその点で、読者のお手伝いができると思っている。

ベン・ホーガンは優れた運動選手で、体の驚異的な柔軟性と運動機能に加えて、豊かな想像力の持ち主だった。多くの人々の意見では、彼の知能は天才並みだった。そのなかの一人に、1968年から70年までにアメリカのツアーで３勝し、２度にわたってライダーカップ・チームのメンバーを務めたプロ・ゴルファー、ガードナー・ディッキンソンがいる。50年代の初期、ディッキンソンはホーガンが短期間、カリフォルニア州パーム・スプリングスのタマリスク・カントリークラブでヘッド・プロを務めていた際に、彼の下でアシスタントとして働いた。ディッキンソンは臨床心理学の学位も持っており、心理テストをおこなう資格を持っていた。標準心理テストを受けるように勧めてもホーガンは頑として拒否したが、それでもディッキンソンは、ホーガンと日常の会話を交わしている際に、心理テストで使ういくつかの質問を試みている。ベン・ホーガンの知能指数は天才のなかでも上の部類に入るものだった、というのがディッキンソンの意見である。

ホーガンのような優れた天分に、強烈な集中力と、鋼《はがね》のような意思の力が加わったのだから、世界でもっとも優れたゴルファーの一人として大成する基盤が、初めから備わっていたことは明らかだ。彼は、ゴルフという難しいスポーツに挑戦するのに理想的な力、スピード、そして運動能力の3拍子を兼ね備えていたのである。彼は、5.85フィート(178センチ)の身長からすると腕がかなり長いほうで、力強い、よく引き締まった体軀の持ち主だった。絶好調の時代の体重はわずか140ポンド(63キロ)前後だったが、これはボールを効果的に打つために鍛え抜いた体として、彼が理想的と考えた体重だった。また彼は手が大きく、前腕部が強力だったが、それによってスウィングの初めから終わりまでクラブをしっかり握ってコントロールすることができたのだった。わたしはまた、ホーガンの強力な下半身……特に強靱な大臀筋と太腿筋……は、スウィング中に体のバランスを保ちながらボールを強く叩くことを可能にする主要な要素であり、体の優れた安定性に大きく貢献したと考えている。

長年、ゴルフのインストラクションの分野に携わり、現代のゴルフ界を代表する数名の優れたプレーヤーをコーチングする幸運に恵まれてきたわたしは、ホーガン・ゴルフの神髄に関する本著の執筆を、敬愛と喜びに満ちた作業と考えている。本著を執筆することは、わたしにとって名誉なことだが、それ以上にそれは、無数の人々とともにわたしが長年敬慕してきた、ホーガンというこの非凡な人物に対する賛辞を象徴する行為なのである。

今日の若いゴルファーの多くは、ホーガンの名前を聞いたことはあっても、彼がスウィングの究極のテクニシャンであり、ことボールのコントロールに関しては彼の右に出るゴルファーはこれまでに一人もいなかったという点については、おそらくなにも知らないだろう。多くの優れたプレーヤーはドロー・ボールを打つことを好むが、偉大な選手のなかにはフェード・ボールを好む者もいる。ホーガンやニクラスがそのケースだ。ホーガンの現役時代、プロ選手たちは彼を心から尊敬しており、この「巨匠」がボールを打っている姿を見ると自分たちの練習の手を休めて、周りに集まったものだ。

ホーガンは無口と言ってもよいほど本来もの静かな男だったが、彼がゴルフのスウィングについて語るとき、プレーヤーはみな熱心に聞いた。あるときトミー・ボルトは、ジャック・ニクラスがベン・ホーガンの練習を見ている姿は覚えているが、ニクラスに見入っているホーガンの姿は一度も見たことがないと述懐した。ボルトがそう言ったのは、決してニクラスを軽んじたのではなく、ホーガンが当時ほしいままにした名声とゴルフ界における高い地位を強調したかったからに過ぎない。

本著執筆の目標は以下の3点である。

(1)ゴルフのスウィングについてホーガンが信じていたことを検証すること。

(2)わたし自身の解釈を披露する一方で、いくつかのケースでは、『モダン・ゴルフ』が主な出典だが、その他のソースでも明らかにされたホーガンの考え方を分析することによって、ホーガン・ゴルフの本質に迫ること。ホーガンは前述の『パワー・ゴルフ』を発表しているし、「ライフ」誌や「エスクワイア」誌のような定期刊行物にも執筆したが、もちろんゴルフ雑誌はひんぱんに彼の書く原稿を掲載し、彼のコメントを引用した。彼が残した著書や多くの記事は、これまでにいくつかの誤った解釈を生んでいるが、わたしはそのような誤解を解きたいと思う。自分の経験から言って、ゴルフのスウィングのように複雑至極な概念を取り扱う場合、誤った解釈は簡単に起こり得ることをわたしは承知しているつもりである。

（3）80、あるいはそれ以下のスコアを出すことを夢見る、あらゆるレベルのゴルファーの助けになるようなアドバイスをすること。しかしこれは、ゴルファー諸氏がホーガンそっくりのスウィングをする手助けをするためではない（もちろん、それは不可能なことだ）。ホーガンから学び、自分たちのゲームにある種の要素を組み込むことによってより安定したプレーができるようになってくれれば、わたしにとってこれ以上の喜びはない。スウィングの基本を学習し、理解し、そうした原理を応用して練習に励むゴルファーは、安定したスウィングを身に付けて80を切ることが十分に可能である、とホーガンは考えていた。わたしも同感である。

さて、80を切るというテーマについてだが、これは多くのゴルファーがなんとか実現したいと念じている夢だという点を認識することは重要だ、とわたしは思う。スウィングがよくなれば、もちろんこのゴールはぐんと身近なものになる。しかし、同時にショートゲームの練習に取り組み、ロングゲームと合わせて磨きをかけることがどれほど重要であるかということを、決して忘れてはいけない。ホーガンは『モダン・ゴルフ』のなかでショートゲームについては触れていないし、わたしも本著ではこの点には敢えて触れないことにする。しかし、ショートゲームの腕を上げることは、自己の潜在的可能性を最大限に引き出すために、あらゆるゴルファーにとって極めて重要なことなのである。拙著をお読みいただくことによって、読者のみなさんのスウィングがよくなり、その結果、練習するたびに自分のスウィングをいじらなくて済むようになれば理想的だ。そのような段階に届いたら、それからの練習では新しく会得した信頼できるスウィングの維持に時間を割き、さらにはこれまで以上の時間をショートゲームに充てることができるようになることを願うものである。練習場にいくと、スウィングをよくしようと願って、何時間も連続でボールを打っているゴルファーの姿をよく目にするが、これらの人々は多くの場合、プランもコンセプトもなしの状態で練習しているのだ。それに彼らは、ショートゲームの練習をほとんどしない。これは間違っているが、理解できないことではない。なぜなら彼らは、ボールをしっかりとらえて打つことができず、練習をとおしてなんでもよいから、とにかく「なにか」をつかみたいと必死になって頑張っているからだ。

わたしは小著のページをとおして、読者のみなさんにその「なにか」を提供したいと願うものである。そして、その過程でみなさんをむやみやたらな練習から解放し、ショートゲームにもっと時間を費やすように仕向けたいと考えている。そう

ホーガンのスウィングの特色は、優れた安定性とバランスだった

なれば皆さんは、コンスタントに80を切るゴルファーになれるし、すでに80を切っているのであれば、間違いなくアンダー・パーで回れるようになるのである。

ここでわたしは、自分は多くの重要な点でホーガンと同じような考えをしており、スウィングについて教えることに関しては、自分自身も伝統主義者であると定義しているということを付言しておきたい。わたしは以前から、基本を十分に理解することなしに進歩するゴルファーはいないと信じてきた。つまり、基本を尊重してよく練習しなければならない、ということだ。そして、もしそれに加えて優れたショートゲームを身に付けることができるなら、80を切りたい、あるいはアンダー・パーで回りたいという夢はきっと実現することだろう。これこそ、ゴルファー諸氏がホーガンの偉大さをここで改めて認識し、長く記憶に止める手助けができることを、わたしが意気に感じる理由なのだ。わたしは小著を、スウィング理論を巡るホーガンとの対話であり、スウィングに関してわれわれがこれまでに学んできたこと、そして今後も研究を続けることによって達成できると期待するものを、〝ブレンド〟したものだと考えている。別の言い方をすれば、これは、スウィング研究の過去と現在を、将来を展望しながら総括した著なのである。

本著の執筆はわたしにとって、ホーガンの考え方に没頭する願ってもない機会となったが、同時に、自分自身はホーガンがボールを打つのを見たことがないことを思い知らされたのだった。これは、わたしのゴルフ人生にとって非常に残念なことである。あるとき、友人であり、レッスン面ではわたしの生徒でもある南アフリカのデビッド・フロストが、ホーガンと親しくしており、巨匠が経営する会社の代表を務めていた関係で、テキサス州フォートワースのホームコース、シェイディ・オークスでホーガンがボールを打つ姿を見学する時間を取ってくれた。だが残念なことに、その日ホーガンは体調を崩してしまい、わたしのテキサス行きはキャンセルになってしまったのだった。

しかし、それでもわたしは本著執筆中に、自分は実際にホーガンと出会えたような気がしたものである。取材をとおして、わたしはホーガンの人となりとゴルフについてよく知っている多くの人々と話すことができたし、各種出版物、ニュース映画、書簡の数々などを含めて、ホーガンに関して入手できるあらゆる情報を吟味することができたからである。その結果、わたしはスウィングばかりではなく、ゴルファーとしての原動力のある部分も含めて、ホーガンを理解するようになったと感じている。そして、いまのわたしに言えるのは、自分は巨匠ホーガンに対して、これまでよりはるかに多くの敬意を抱くようになっている、ということである。

『モダン・ゴルフ』が刊行されたずっとあとになって、ホーガンは自分はスウィングに関して知っていることはすべて網羅したつもりだが、それでもまだ学ばなければならないことは多いと述懐しているが、これは興味深いことだ。

事実、巨匠は同著のなかでもさらなる研究と解釈を奨励し、つぎのように説いているのである。「これらのレッスンが、スウィングの理解度をさらに高めるための知識の集積として役立ってほしいと思う。毎年、われわれはゴルフについて、前の年より少しだけ多くのことを学ぶ。有益な新知識の一つひとつが、より大きな理解への道を拓くのである。その点で、ゴルフは医学や科学などのその他の分野に似ている……」。わたしが幸い長年にわたって指導する機会を得たニック・プライスは、今日入手できる情報のおかげでゴルファーは、昔は20年かかって習ったことをいまではわずか2年で習得できると語っている。今日、ゴルフ習得のペースは加速され、短縮された。何十年もプレーしてきた者を含むすべてのゴルファーが、ゴルフ・インストラクションの長足の進歩の恩恵に浴することができるのである。

ここでわたしは、1985年にわたしの門を叩いたニック・ファルドのことにも触れておきたい。ファルドはスウィングを改造して、世界のメジャー選手権の凄まじいプレッシャーのなかでも頼り切れるような、新しいスウィングを作ることを願った。新しいスウィングにさまざまな変革を組み込むのには2年の歳月を要したが、87年、ファルドは最終ラウンドの18ホールをすべてパーで回ることによって全英オープン選手権を制したのである。こうしてファルドは、新しいスウィングが極度のプレッシャーに耐え得ることをみごとに立証したのだった。彼はその後、全英オープンをさらに2度、そしてマスターズ選手権を3度制覇している。ファルドを指導する過程で、わたしはホーガンが言っているように、ゴルファーが自己のスウィングを改造することは確実に可能であることを悟った。ファルドの場合は、もちろんホーガン並みの献身をモットーとするツアー・プロだからそれができたのであって、すべてのゴルファーがスウィング改造に彼と同じだけの時間をかけようと欲することはないだろう。しかしそれでも、ホーガンも指摘しているとおり、自分を変えることにコミットしているゴルファーは、基本を身につける努力を払えば誰でもかならず上達するのである。ファルドの場合、ホーガンや現在世界一にランクされているタイガー・ウッズと同じように、完璧の探求が原動力となった。読者のみなさんも、月例で優勝すること、あるいは単にベスト・ショットをすること、あるいはベスト・スコアを出すことなどを、自らの目標にされてはいかがだろうか。ゴルファーは誰でも上達できるのである。ホーガンはそう信じていたし、わたしもおなじ意見だ。わたしはファルドが時の経過とともに変貌を遂げてゆく様子に舌を巻いたものだが、自分が指導したアマチュアの変貌ぶりにも驚かされることが多い。もっとも、彼らがその結果として以前よりはるかにゴルフをエンジョイする姿を見ても、驚きはしないが……。

われわれがスウィングに関する研究を継続していくなかで、ホーガンの考え方は極めて価値のある資料である。『モダン・ゴルフ』は多くのゴルファーとインストラクター、そして選手にとってかけがえのない座右の書である。ニック・プライスは英語版を手垢がつくまで繰り返し読み、所見や感想を各ページの余白にびっしりと書き込んでいる。書き込みには、ニックがホーガンと同意見の部分もあれば、意見を異にする場合もある。本著のなかで、わたし自身もニックと同じようなことをしようと思う。つまり、ホーガンの名著に、ある意味で書き込みを施し、21世紀を迎える時代を生きるスウィング研究家の観点から、その内容を改めて検証してみようと思うのである。もちろん、わたしはこの分析の作業を慎重におこなうと同時に、原著に対して払われるべき敬意は最大限に表するつもりである。わたしはまた、みなさんに『モダン・ゴルフ』を本書と併せてじっくり読んでいただきたいと思う。そうすれば、巨匠ホーガンのスウィング理論をさらによく理解することができると思うのである。

さて、こうした試みの目的はもちろん、ゴルファー諸氏が頼りになるスウィングを作るお手伝いをすることだ。スウィングが安定してくれば、ゴルファーはそれだけ自分を信頼できることになり、自ずと自信に満ちたプレーができるようになる。自分のしていることに安心感が持てるようになれば、自信に満ちたプレーをする可能性は増していく。この安心感は、正しい基本を体で覚えて頼りになる効果的なスウィングを身に付け、ボールの飛距離と方向、そして軌道がコントロールできるようになることの結果として生まれるものである。そうなると、コース攻略を含むゴルフのメンタルな部分が相対的に易しくなる。ボールが止まるエリアがわかるようになるからだ。だがゴルファーは、すべてのショットを毎回完璧に打つことはできない点を認識すべきである。肝心なことは、正しいメカニックスをとおして、常につぎのショットが打てるような〝許容できるミス・ショット〟の打ち方を習得することだ。要するに、自分の技術を信頼し、無意識かつ本能的にスウィングができ、コースに出たらなにも考えないでプレーに専念できるようになるまで、練習を重ねることが基本となるのである。

この段階まで来れば、究極のレベルに達したことになる。そうなれば、自分のテクニックを維持しながらさらに改良し、純然たる楽しみのために異なった種類のショット……例えばドローとフェード、ハイ・ショットとロー・ショットなど……を打つことを目的としたレベルの高い練習ができるようになる。そしてそのあと、スコア・メイキングのための技術……つまりショート・ゲームとパッティング……の練習をする時間がたっぷりと取れることになるのだ。もちろん、ホーガン並みの練習の虫になる必要はないが、時間を有効に活用して、きちんとした目標を設定して練習すれば、ロー・スコアを出す可能性は劇的に高まるのである。

わたしがおこなうインストラクションに取り入れている、基礎的な要素のうちの主要なもののいくつかは、ホーガンが説いた基本に基づくものだ。これらの要素とはつまり、グリップ、セットアップ、下半身の動き、体の大きな筋肉の基本的な使い方、ボールを打つ際の物理学の原理の応用、ドリルの活用、そして鏡を利用したテクニックの習得法である。ホーガンがわたしの教え方に与えた影響は明白だ。わたしの処女作、『ザ・アスレチック・スウィング』(ゴルフダイジェスト社刊、1992年。原著は〝The Golf Swing〟、1991年)の解説とスタイルは、『モダン・ゴルフ』がモデルである。ホーガンのこの名著は、ゴルフのスウィングのあらゆる側面を系統的に解説した史上初の試みであり、ゴルファーがスウィングを構成する個々の要素を理解し、つぎにその総合的なメカニズムを把握することを段階的に手助けする、格好なガ

イドブックなのである。

『モダン・ゴルフ』を執筆したのが1950年代だったにもかかわらず、ホーガンが当時語ったことの多くは、よく吟味してみると今日でも真理である。だから、同著がこのゲームに真剣に取り組んでいるあらゆるゴルファーの愛読書のなかで中心的な存在を占めているのは、まったく驚くに足らない。ゴルフのインストラクションが進化するなかで、同著は主要な役割を果たしてきた。ホーガンと同じように、わたしもまた、多くのゴルファーは、残念ながら単に〝空回り〟しているだけで、ほとんど進歩していないと思う。しかし、そのホーガン自身も、ある時点では〝空回り〟していたのである。1942年に雑誌「エスクワイア」誌に「ゴルフが楽しくないとき」のタイトルで掲載された記事のなかでホーガンは、なかなか上達しないでもがいているアマチュア・ゴルファーを知り過ぎるほど知っているが、あの惨めな思いを味わった時期が自分にもあった、と述懐している。

彼はつぎのように書いている。「……自分のゴルフをついに見つけるまでは、最初のラウンドは絶好調だったのにつぎのラウンドは乱調に陥り、しかもその理由がわからないことがよくあった。スコアのよくないラウンドが終わると、わたしはいつもボールをしっかり打つために何時間も練習し、挙げ句の果てに自分に嫌気がさして家に帰るのだった」

しかしホーガンは、そのような心理状態に陥る自分を許すことができず、ミス・ショットの根幹を断ち切り、効果的で信頼できるスウィングを作ることを目標に、細心にスウィング研究をおこなったのだった。彼はこの目標をみごとに達成した。そして基本を正しく理解し、応用すると同時に、忍耐強く練習することによって優れたプレーをすることは、すべてのゴルファーにとって可能だと信ずるに至ったのである。「ものごとは正しくおこなえば、間違ったやり方でおこなうことに比べてはるかに少ない労力で済む」というホーガンの言葉は、まさしく真理なのだ。

わたしも同感である。読者の皆さんには頼りになる効果的なスウィング作りを念頭に置いて、本著の各ページに記された内容をじっくりと吟味していただきたい。ホーガンの説く基本に加えて、『モダン・ゴルフ』が書かれてからの数十年の間にスウィングに関して明らかにされたいくつかの異なった考え方が理解できれば、みなさんは潜在的可能性を余すところなく発揮できるようになるに違いない。そう信じているからこそ、わたしは本著を執筆したのである。

第1章

グリップ

THE HANDS

THE HANDS グリップ

ベン・ホーガンは、「よいゴルフは正しいグリップから始まる」と説いた。
彼は、基本的に正しいグリップでクラブを握れば
２つの手が１つのユニットとして機能するが、
これは安定したショットに不可欠な要素だと信じており、
そのように指導したのだった。
ホーガンはまた、正しいグリップはインパクトからフォロースルーにかけて、
クラブヘッドのスピードを上げ、安定性を高め、
コントロールを維持するために不可欠な要素だが、
大半のゴルファーはグリップが果たすこの重要な役割を
不当に低く評価していると感じていた。

左手

ホーガンは、左手を〝パーム・グリップ〟（指ではなく手の平で握る）にする方式を好んだ。指で握った場合にくらべて、そのほうが、ゴルファーにとってクラブのコントロールがはるかに効率的にできると考えたからだった。彼は、グリップは左手の手の平の肉厚の部分と人差し指の第一関節を結ぶ、対角線上（写真右上）に置いて握るべきだと説いた。また彼は、グリップの〝プレッシャー・ポイント〟……つまり「圧点」……がクラブを正しくコントロールする面で重要だと言っている。左手の主な「圧点」は、中指から小指までの３本の指と、親指の付け根の肉厚の部分である。

これらの圧点でクラブを正しく支えることによって、スウィング中にクラブは安定し、インパクトでヘッドはぐらつかない。ホーガンの場合は、アドレスで正しく握った左手を上から見たとき、親指と人差し指の間にできたＶの字は、右目を指していた。

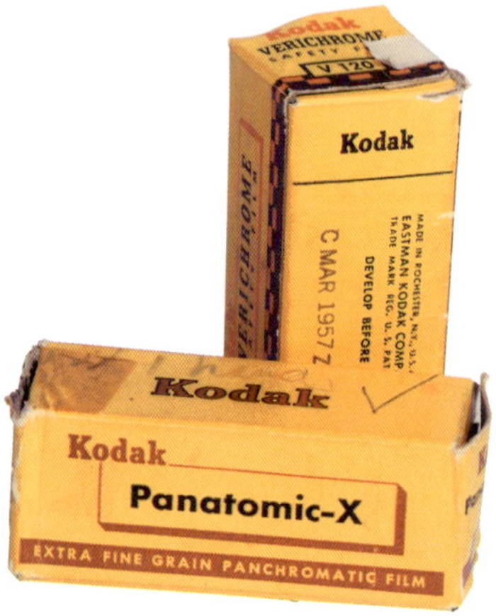

右手

ホーガンは、右手のグリップは〝パーム・グリ

ホーガンは、左手でクラブをかなり深く握っていた

ホーガンは、クラブは左手の指で握ってはならないと考えた

グリップへのプレッシャーは、３本の指と手の平の肉厚の部分から来る

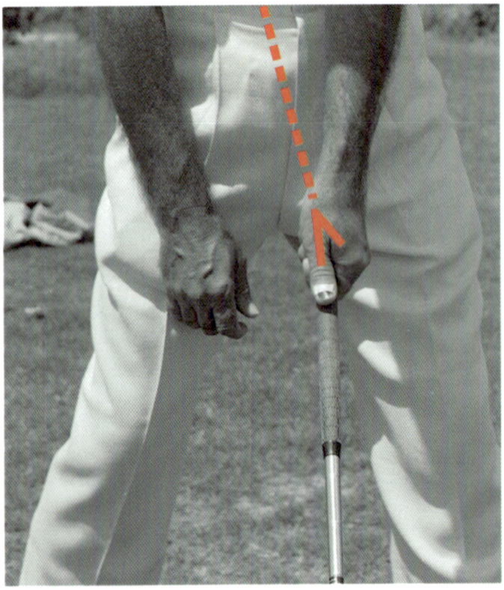

グリップ・プレッシャーを維持することは、クラブのコントロールを保つことを意味する

左手の親指と人差し指が作るVの字は、ホーガンの右目を指した

グリップ・プレッシャーが弱まると、手が緩み、クラブのコントロールが不可能になる

ホーガンは、クラブを右手の第一関節の上に置いた

ップ″で握る左手の場合とは逆に、クラブを指に乗せて握るべきだと考えた。さらに詳しく言えば、右手の人差し指から小指にかけての4本の指の第一関節、つまり指の付け根の部分をグリップに当てて握るのが、彼にとって正しい方法なのである。右手グリップに関するホーガンの総合的な考え方は、左右の手はスウィング中は等分の働きをすべきであり、右手は決して左手を圧倒するような過度の役割を果たしてはならない、というものだった。

両手を一つの完璧なユニットとして機能させるために、ホーガンは右手の小指を左手の人差し指と中指の間にできる溝に置いた。つぎに彼は、右の手の平にできた窪みを左手の親指に被せたのである。グリップを安定させるために必要なプレッ

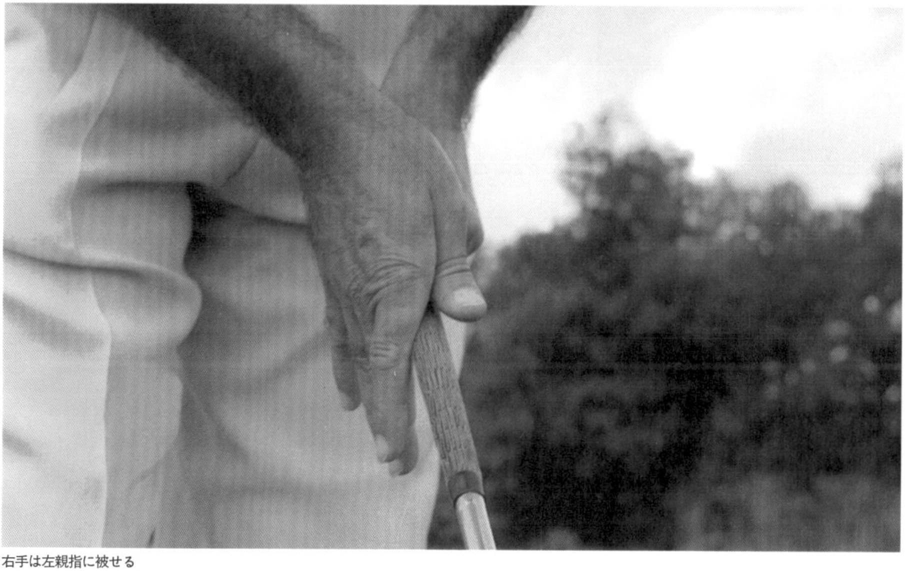
右手は左親指に被せる

シャーは、右手の場合、中指と薬指に加えて、人差し指の付け根の関節から来る。完結した右手のグリップを上から見ると、親指と人差し指の間にできたVの字は、ホーガンのアゴを指していた(左手の場合は、右目を指していた)。ホーガンは、右手の働きを抑え、両手が一緒に機能している状態を感じ取るための練習の一助として、右手の親指と人差し指をシャフトから離したまま素振りをしたものである(ただし、ボールは打たなかった)。

ホーガンは、しっかりしたグリップを追求した。目指すは、握り心地がよくて躍動感に満ちていて、なおかつ緊張感のないグリップだった。正しいグ

右手の小指は、左手の人差し指と中指の間にできる溝に収まる

左手の親指は右の手の平の窪みに収まる

右手の中指と薬指がプレッシャーの源泉

ホーガンは、右手の親指と人差し指を離してスウィングするドリルを勧めている

ホーガンの手首と親指は、並外れて柔軟だった

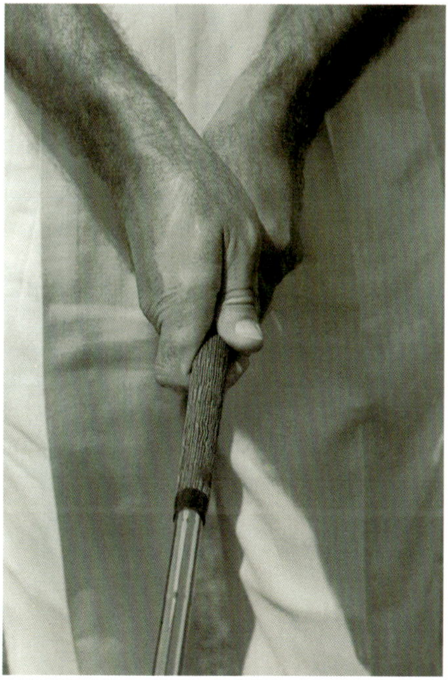

ホーガンは、右手の親指と人差し指が作るＶの字はアゴを指すのが正しいと主張した。右の人差し指の付け根の関節がプレッシャーを生んだ

左手の 3 本の指と右手の 2 本の指のプレッシャーをチェックするホーガン

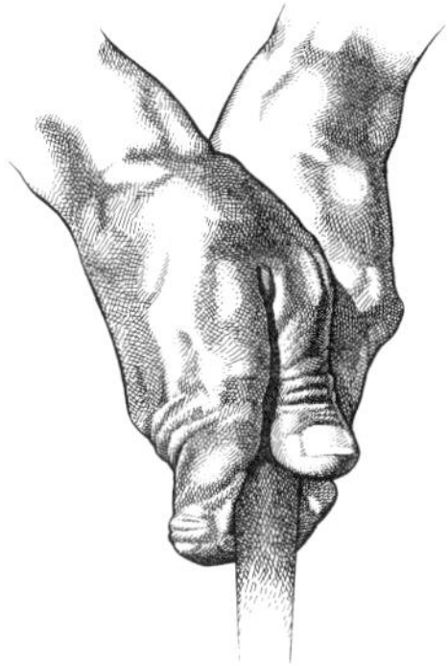

リップをマスターすれば、クラブをコントロールして、完璧なプレーヤーになるために不可欠な高弾道のショットや低弾道のショット、あるいはドローやフェードなどを含む多彩なショットが、自在に打てるようになるのである。ホーガンは、細部に至るまで完全なグリップ作りのために常に努力するよう、あらゆるゴルファーに助言している。

私の見解

ホーガンのグリップはまったく非の打ち所がないように思える。彼の両手は、まるでゴルフクラブに合わせて作られたかのようだ。彼は自分でも言っているように、安定した、握り心地がよくて躍動感に満ちたグリップが欲しかった……つまり、ショット・コントロールにとって、もっとも効果の高いグリップを追求したのである。彼は合わせた両手がゆるんだり、クラブから離れたりすることを決して望まず、理想のグリップを完成するために日夜人並みならぬ努力を繰り返し、長年の間にグリップにいくつかの修正を加えている。こうしたグリップの修正こそ、これまでに頻繁に論議されてきたホーガン・ゴルフの〝秘訣〟の肝要な部分なのである。

ホーガンは左手でクラブを深く握った

若いころのホーガンはひどいフックに悩まされていた。だから、当然のことながら彼は、フックが出ないような体の動きを取り入れてスウィング作りをおこなっている。彼はつぎのように語ったと言われている。「私はフックが大嫌いだ。フックのことを考えると吐き気がしてくる。実際にフックを見ると、本当に吐いてしまうかもしれない」。したがって、ホーガンの〝秘訣〟の土台が、自分のゴルフからついにフックを取り除くことができた点にあるのは、驚くに足りないことなのである。ホーガンの〝秘訣〟については後述する。

わたしの意見では、左手の手の平で極端に深く握るホーガン式のグリップにすると、大半のゴルファーは深刻な問題に突き当たることだろう。ターゲットに向かうホーガンの姿を後ろから写した左の写真を見れば、クラブを左手の指でなくて、親指の付け根に非常に近い部分で握っていることがおわかりいただけよう。このような左手のグリップが、完全に指だけに頼った右手のグリップと組み合わされると、問題は増幅される。大半のゴルファーの場合、このようなグリップはスライス系のショット、あるいはむしろスライスそのものを生むことになる。このようなグリップでは、まともなヘッド・スピードは出せないだろうし、あるいはインパクトでクラブフェースをスクエアにすることはまず無理だろう。だがホーガンの場合は、自分が編み出したグリップの方式をマスターすることができた。それができるプレーヤーは決して多くはない、というのがわたしの意見だ。

なぜならホーガンは、卓抜したスウィング・ダイナミックス……つまり、体のあらゆる部分から発生するエネルギーのすべてを、驚くほど巧みに、そして力強く、クラブヘッドに集結させる能力……に恵まれた、非凡な運動選手だったからである。彼の手は力強く、動きは素早かった。スウィング中の彼の動作は、まさしく皮の鞭を打ち鳴らす仕種を連想させた。スウィングのテンポは速く、全身の柔軟性……それも特に手首と親指のあたりの柔らかさ……はみごとだった。その結果、トップでシャフトが地面に対して平行なラインを、少しばかりではなく、はるかに越える地点まで、バックスウィングすることが可能だったのである。ホーガンの親指の曲がり具合を見ていただきたい(33頁)。指の反り具合は尋常ではないが、これが手首の柔軟性と相俟ったことこそ、ホーガンがあれほどのリストコックができ、ダウンスウィングでクラブヘッドを遅れて走らせることができた理由の主要部分である。わたしは子供のころ、ホーガンのダウンスウィングのスチール写真を見たあとで、彼の親指と手首のあたりの柔軟性に初めて気がつき、さっそくダウンスウィングからインパクトに至るクラブのアングルとヘッドの遅れを真似してみようと思った。しかしわたし自身も、そしてその後わたしが会ったゴルファーも、一人としてそれを完全に真似することはできなかった。われわれには、ホーガンのような手首と親指の柔軟性はないのである。

しかし、柔軟性があり過ぎることによって問題が生じる場合もある。フェースがほんの少しでもシャットに入る場合、それにヘッドの極端な遅れと素早い手の動きが加わると、ときにはホーガンを苛んだようなインパクトにおける問題が起こる。ホーガンは、長いクラブ……それも特にドライバーやフェアウェイ・ウッド……で打つ場合、そしてキャリアの初期のトーナメントでプレッシャーに見舞われたとき、ひどいフックに泣かされたものだ。ショットのコントロールをよくするために、ホーガンは手の働きを抑える方法を見つけることによって、どうしてもフックを直さなければならなかった。彼にとって問題だったのは、飛距離ではなく、ショットのコントロールとタイミングだった。ホーガンは、グリップを変えることによって、コントロールの問題は解決できると考えた。たしかに彼の戦略は、問題の解決にある程度役に立った。

フックを直すために、ホーガンはグリップを2点にわたって改良した。本人は微調整と見なしたようだが、じつはこれは大改造だったとわたしは考えている。1945年、彼は最初の改造をおこなった。左親指をグリップエンドのほうに移すことによって、いわゆる「ショート・サム・ポジション(〝親指を縮めた〟状態)」として知られるグリップを採用したのだ。それまでの「ロング・サム・ポジション(〝親指を伸ばした〟状態)」で親指をシャフト沿いに思い切り伸ばすと、コックがし易くなる。だから親指を〝短くする〟ことによって、ホーガンは手首の動きを抑え、リストコックを制限することができたのである。その結果、彼のスウィングは以前よりかなりコンパクトになり、トップの位置でクラブを以前よりコントロールすることができるようになった。また、手首の動きを抑えた結果、ダウンスウィングでこれまで過度だったヘッドの遅れも調整することもできるようになった。コントロールが向上すると、スウィングのタイミングも改善された。

左手の親指を縮めたグリップに慣れたホーガンは、グリップ改造のつぎのステップとして、左手を時計の針と反対側(つまり、シャフトの左方向)

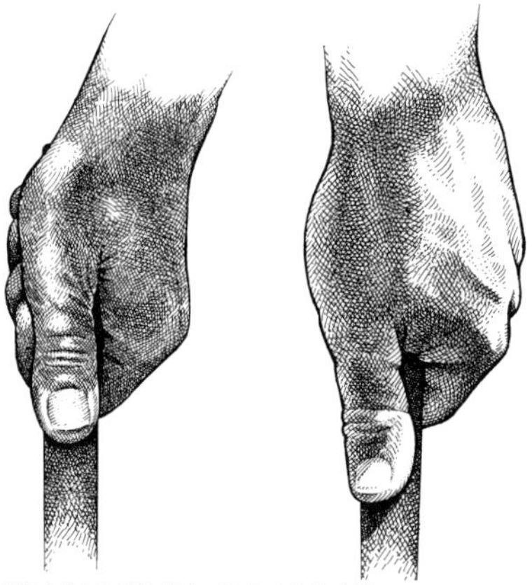

左の親指を縮めた状態（左)。伸ばした状態（右）

左の親指を縮めたコンパクトなスウィング（左）と、親指を伸ばした大きなスウィング（右）

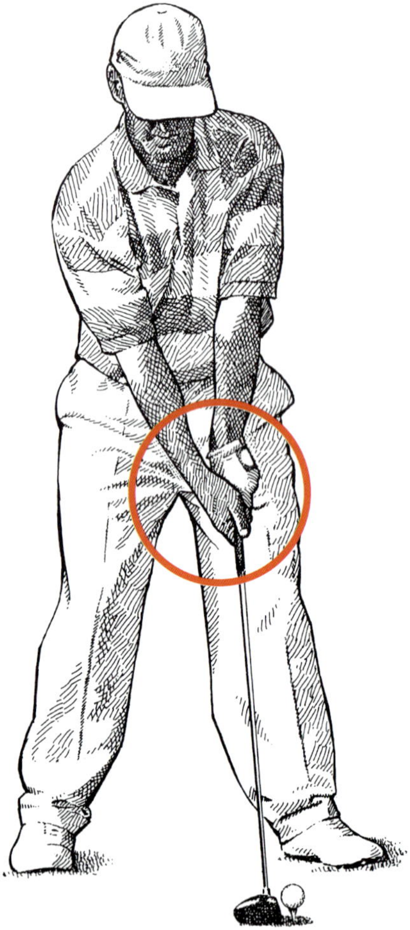

デビッド・デュバルの
左手に見られるストロング・グリップ

へ……上からグリップを見た場合、人差し指の付け根の関節が一つだけしか見えない位置まで……回した。その結果、彼の〝縮んだ〟親指は、シャフトの右側ではなく中央に置かれることになった。左手を左に回すと同時に、彼は右手の握りを以前より指に頼った〝フィンガー・グリップ〟にして、シャフトの真上に置くようにした。思うに、これは恐らく左右の手を以前以上にピタリと合わせるためだったのだろう。

こうしてホーガンのグリップは、ゴルフ用語として一般的に知られる〝ウィーク・グリップ〟になった（もっとも彼の場合は、力の点でグリップが実際に〝弱く〟なったわけではない）。彼はこのような修正の結果、インパクトでクラブフェースを前よりオープンにすることができるようになったと感じた。そのため、フェースがシャット気味に入ってフックが出ることを以前ほど恐れずに、右手でボールを強く叩くことができるようになった。インパクトの時点で、彼はショットをリードする左手をぐらつかせずにきちんとコントロールすることができ、その結果、フェースをより正しくコントロールすることができるようになった。こうしてホーガンは、フックと訣別するというゴールをほぼ達成したのである。しかし、問題を全面的に解決して、彼を長年悩ませてきた破滅的なフックを完全になくすためには、もう一つの小さなカギが必要だったのである。これこそ彼の〝秘訣〟だが、これについてはすでに述べたように、のちほど検討してみたい。

ホーガンは、自分がおこなった調整は本来正しかったグリップをいくつかの面で単に修正したに過ぎないと考えていたが、その結果は彼を大いに益するものだったと述懐している。フックに悩んでいたかどうかに関係なく、多くのプレーヤーがホーガンのグリップをそっくりそのまま真似したが、これは驚くに足らないことだった。しかし、彼らの多くはこの試みに失敗している。今日のゴルファーの大半は、ツアー・プロも含めて、両手を……特に左手を、上から見たときに手の甲の関節が２つか３つ見えるところまで……時計の針の方向、つまりクラブの右側へ回して、少し強めのグリップにすると好結果が期待できる。こうしても、ひどいフックが出ることは心配しなくてよい。

これはじつは、より自然かつ賢明なやり方なのだ。自然だと言うのは、両腕を肩から自然に垂らした状態で見ると、手は自然にこのような位置に来るからである。極端なストロング・グリップで知られる選手と言えば、ポール・エージンガーと若手スターのデビッド・デュバルの2人だが、両者の球筋は確かに、よくコントロールされたフェードである。つまり、フックを直したりフェードを打ったりするためには、単に〝ウィーク・グリップ〟を採用すること以上に、やるべきことがあるのだ。

左手の親指を縮めてグリップを握ることによって、コントロールを向上させようと考えているゴルファーは、一つの重要な要素を肝に銘じておくことが必要だ。つまり、ホーガンは手首が柔軟で、左親指が一般のゴルファーより湾曲していたので、グリップに密着させたままの状態で親指を縮めることが可能だったという点である。しかし、大半のゴルファーの場合は、そうすると縮めた親指とグリップの間に明らかな透き間ができてしまう。その結果、親指のグリップに密着している部分が減るため、クラブヘッドをコントロールできる可能性は、増えるどころかむしろ減ってしまうのである。だから、わたしは一般的に、リストコックと〝てこ〟の働きを高めるという利点から、左親指を〝長目〟に伸ばしたグリップを勧めている。

ホーガンのグリップがみごとなことは、疑問の余地がない。そして、このグリップは彼に満足のゆく結果をもたらした。つまり、フックを直す手助けをしたのである。しかし、大半のゴルファーはフックを打たず、実際にはスライスを打つ傾向がある。ホーガン方式のグリップを採用してもスライスは直らないし、かえってひどいバナナボールが出ることになってしまうだろう。つまり、ふつうのゴルファーにとって、〝ウィーク・グリップ〟は妙薬どころか、祟りへの誘いになってしまうのである。

80を切るか、それ以下のスコアを出すために

わたしはこれまでに、ホーガンが自分なりの方式でクラブを握った理由について説明してきた。どうしたらフックを防ぐ理想的なグリップを編み出せるかという深刻な疑問について、彼が熟考したことは明らかである。ゴルフの基本を語る際にグリップは不可欠な要素だったため、ホーガンは『モダン・ゴルフ』のなかの一章を、そっくりグリップ論議に当てている。だからガードナー・ディッキンソンなどは、同著は「ごく限られた数のゴルファーを悩ます低い〝どフック〟に対する防衛システムに過ぎない」との辛口の批評をしている。ホーガンは試行錯誤を経て、望んでいたグリップ作りを完成した。そして、彼がスウィングとショットをみごとにコントロールできるようになったのは、最終的に選んだグリップに負うところが多いのである。わたしは同時に、ホーガン方式のグリップに代わる効果的な方法もあることを、ここで指摘しておきたいと思う。ホーガンのグリップは、彼自身が抱えていた問題の解決に役立った〝個人のための創作〟だった、という点を認識しておくことは大切である。1959年度マスターズ選手権の覇者でホーガンと頻繁にプレーしていたアート・ウォール二世は、ホーガンはクラブを猛烈なスピードでスウィングしたため、シャフトが

非常に硬くて重いクラブを使っていた、とわたしに語っている（ちなみにこれは、彼のフック防止策のもう一つの構成要素だった）。ホーガンはまた、ライ角度のフラットなクラブを使っていたが、これももう一つのフック防止策だった。このようなクラブをコントロールできたということは、ホーガンがいかに肉体的に優れたゴルファーだったか、そしてどれほど速いヘッド・スピードを生むことができたかを、如実に物語っている。ホーガンが使ったクラブを試打した多くのゴルファーは、それが無駄な努力であることを悟らされたものである。このようにシャフトが硬くて重量のあるクラブを振ることは、彼らにはとうてい不可能だったのである。

ホーガンは、クラブを左の手の平に収めて、右手は指だけで握るグリップを推奨した。わたしはこの点にある程度までは賛成するが、特に (1) 手首と親指の柔軟性に欠けた、あるいは (2) 安定したドロー・ボールを打ちたいと願っているゴルファー……世界中のゴルファーの多くは、おそらくこの２つの範疇に入ると思う……には、これにある程度の微妙な修正を加えることを勧めたい。

まず最初に、左手について考えてみよう。わたしの経験では、ゴルファーの抱えるもっとも深刻な問題の一つは、グリップを左の手の平で握る傾向が強すぎるために手首の筋肉が硬直し、リスト・アクションが妨げられる点である。この場合、手首を正しくコックさせて〝てこ〟の支点として十分に働かすことが難しくなる。クラブが左手にすっぽりと収まるため、手袋がすり減って穴が開いてしまう。これは、ゴルファーがグリップに力が入っていないことを感知して、スウィングに余計な力を加えようとすることに起因する。このような力が加わるのは、主としてスウィング開始の時点、バックスウィングのトップ、そしてインパクトのエリアだ。こうした余計な力が加われば、クラブとグリップの間に不必要な動きが生じ、摩擦を生む。そしてその結果、手袋に穴が開いてしまうのである。しかし、これには一つの解決策がある。修正は簡単だから、大半のゴルファーはすぐに馴染む。左手をクラブに対して正しく置くことによって、どれほど楽にクラブが振れ、〝てこ〟の力が増すようになるかを知って、読者は驚くことだろう。要するに左手は、腕とクラブにとって蝶番《ちょうつがい》の役割を果たし、ヘッドの流れるような動きを可能にするのである。左手で正しいグリップ

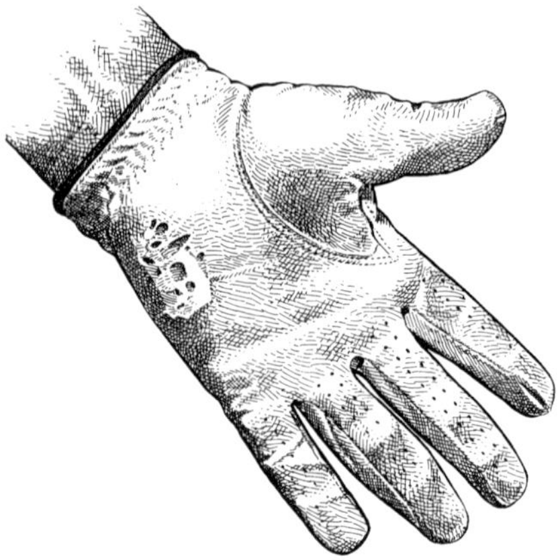

グリップ・エンドが手の平の内側に
入り過ぎると、グローブに穴が開く

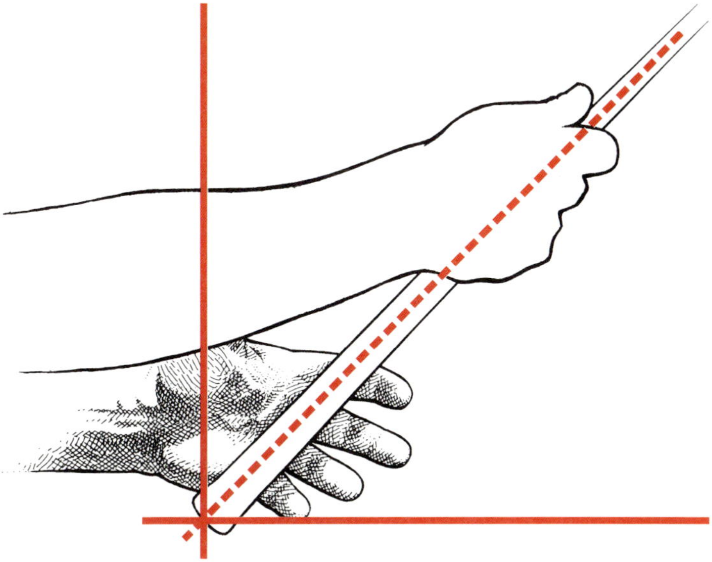

グリップを左手に正しく収める際のヒント

ができれば、ゴルファーはクラブのバランスが保てるし、ほとんど努力しなくてもスウィングにパワーと鞭のような弾力性を生むことが可能なことが理解できるだろう（この「解決策」については、のちほど述べることにする）。

ホーガンは体が柔軟だったため、〝てこ〟の原理をふんだんに応用したスウィングがごく自然にできた。大きなテークバックのトップでクラブをセットし、インパクトでスナップを効かせてボールを叩くホーガンのリスト・アクションは、凄まじいパワーの源泉となった。〝てこ〟の作用とパワーを生むためには、ゴルファーは手首を正しくコックし、アンコック（コックを解くこと）しなければならない。クラブを左手で深く握る傾向が強過ぎれば、〝てこ〟の力は簡単に失われてしまう。また、その結果、例えばスウィングの初期にクラブをしゃくり上げたり、クラブヘッドをこねたり、左腕を折ったり、右ヒジを誤ったポジションに収めたりするなどといった、多くの欠陥が生まれる。上記のようなグリップのゴルファーは、ふつうは上体を無理に使ってクラブをなんとか振り抜いてパワーを出そうとすることによって、間違ったグリップを補おうとする。ボールを打つためのリスト・アクションは、鞭を鳴らす動作にどこか似ている。手首を木のように硬直させた状態で鞭を鳴らそうとすれば、体の他の部分がどのように無理な動きをするかが、よくわかるだろう。左手でグリップを過度に強く握るという過ちは多くのゴルファーに見られるもので、スライスに悩まされていたゴルファーが、正しいグリップに変えることによって一夜明けたらドローが打てるようになったり、飛距離の出なかったゴルファーがボールをしっかりととらえて距離が出せるようになったりする。距離が伸びるのは、ゴルファーが手首を正しくコックできるようになったため、〝スナップ〟と〝てこ〟の力が生まれ、ボールを捕らえる際にクラブヘッドを十分に加速させることができるようになっているからなのだ。

左手

ここで、左手を正しくクラブに当てるコツを披露しよう。まず、ふつうにアドレスの位置に立つ。目の前で右手だけでクラブを持ち、体に対して45度に保つ。つぎに、左手をシャフトに対して90度

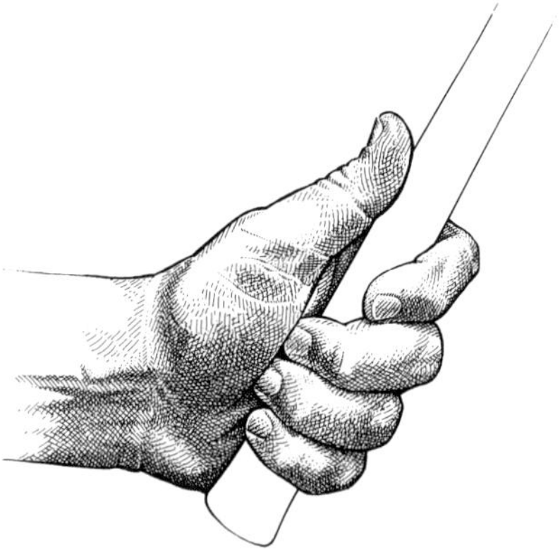

左手をクラブに被せる

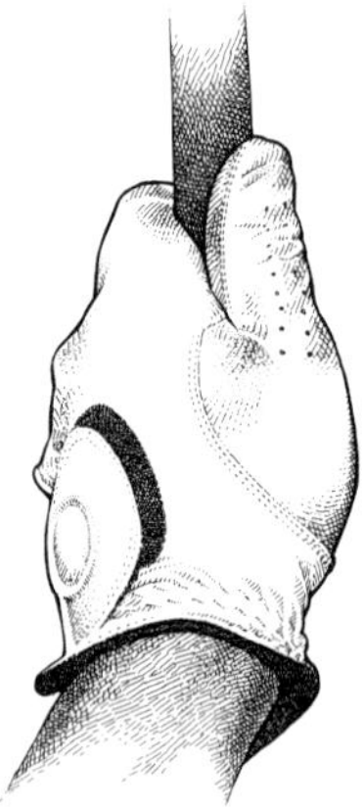

左手のニュートラル・グリップ：手首に角度がつき指関節が2つ見え、親指と人差し指が作るVの字は右耳を指す

の角度でターゲットの方向から持って来て、クラブにあてがう。その場合、クラブは左手の小指の付け根のすぐ下と、人差し指の折れ目……つまり、指を曲げて作った「鍵」の部分……を結ぶ対角線上に来なくてはならない（41頁イラスト）。つぎに、左手をそのまま閉じてグリップを握る（イラスト上）。親指はシャフトに密着させてシャフトの真上に自然に伸ばし（伸び過ぎても縮み過ぎてもいけない）、人差し指に隣接させる。クラブを目の前で握った場合、左手の指関節は２つほど見えるのが普通だ（イラスト上右）。これがいわゆる〝ニュートラル・グリップ〟である（ホーガンの場合は、ウィーク・グリップを採用していたから、もしクラブを目の前で持ち上げたとしたら、指関節は１つしか見えなかったに違いない）。ひどいスライスを打つゴルファーの場合は、関節が３つ見えるようなグリップ、つまり〝ストロング・グリップ〟を採用することだ。そのとき、手の甲が反ることによって手首がいくぶん内側に折れ、手袋の縁に近い部分にわずかな窪み、あるいは曲線が見えるだろう。親指と人差し指が作るＶの字は、ここではおおよそ右耳を指すべきである。左手は基本的には〝パーム・グリップ〟だが、クラブは手の平の中心から外れて指に寄った部分で握ることになる。そのため、手首の正しい動きとコックが可能になるのである。

左手をクラブに正しく添えることは、基本中の基本である。ここでは妥協を許さず、細心の注意を払うことが必要だ。左手を上記のように正しくクラブに当てれば、クラブの重みを手の緊張感なしに以前よりもはるかに敏感に感じるようになる。そうなれば、手首を自然にコックし、ショットに不可欠な〝てこ〟の力を生むことができるのだ。

左手のグリップに関する最後のポイントは、グリップを短く握るか長く握るかという問題である。ホーガンはグリップエンドを残さずに握っていたが、これは基本と言うよりはむしろ好みの分野に入る。わたしはほとんどのゴルファーに、グリップエンドが小指から２分の１インチから１インチ（1.25センチから2.5センチ）ほど見えるようにして握ることを勧めている。ホーガンは、グリップエンドぎりぎりに握ることによって、ある程度緊張がほぐれ、少しだけゆっくりスウィングできると感じたのだった。いずれにせよこれは、すでに述べたように好みの問題である。読者各位は実験を通して、自分に最適な握り方を見つけていただきたい。

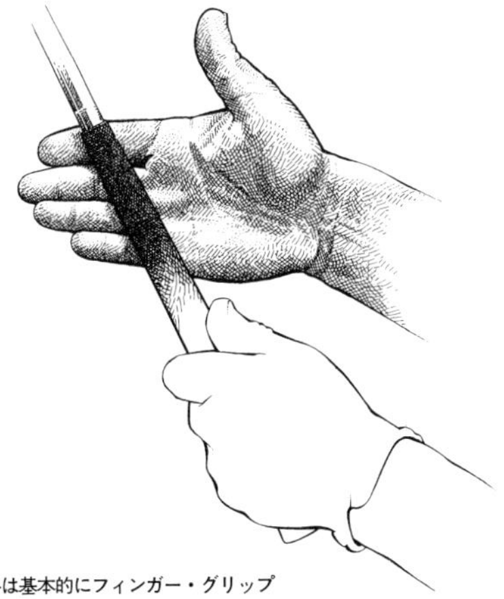

右手は基本的にフィンガー・グリップ

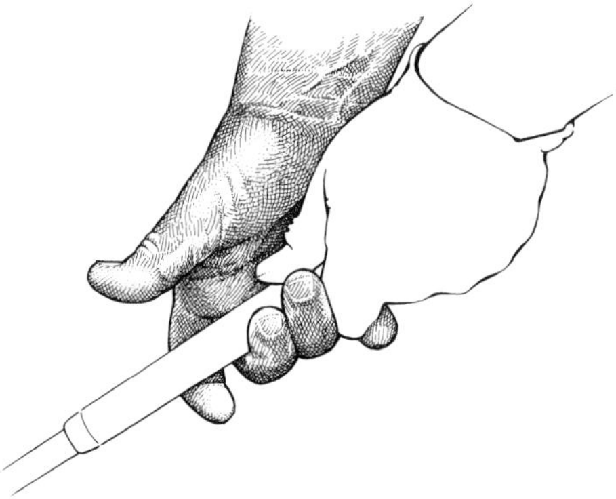

右手の親指と人差し指は、
〝引き金〟を形成する

右手

さてつぎに、右手のグリップについて考察してみよう。ホーガンは右手の平の指関節の付け根の線に沿ってクラブを置き、直接指で握ることを好んだ。わたしの持論では、右手一本でクラブを持ち上げたとき、クラブは手の平に対して斜めに収まり、小指のわずかに下の部分で手の平に接触することが望ましい。右手のグリップは基本的には〝フィンガー・グリップ〟だとホーガンは言うが、わたしも同意見だ。しかしわたしは、クラブを右手の平に対して斜めに握れば、クラブを同じように斜めに握った状態の左手とうまく合体すると思う。大半のプレーヤーは、このグリップでクラブを握るほうが安定感があるように思える。もう一度、今度は左手だけで、体に対して45度の角度でクラブを目の前で持ってみてほしい。つぎに、ここに示すように、クラブを右手の指に対して斜めに置いてみる（イラスト上左）。そして、右手をシャフトに沿ってグリップの方向に滑らせ、ホーガン方式に基づいて、右の小指を左手の人差し指と中指の関節の間に置く（イラスト上右）。ここで右手を左親指に被せ、この状態で右親指の付け根の肉厚の部分の下方にできた隙間に左親指を滑り込ませる。ここでは、右手の人差し指と親指が正しいスウィングに対して持つ潜在的な破壊力を抑えることが必要だ。だからホーガンも勧めるように、右人差し指と親指を〝引きがね〟の形にしてグリップにあてがい、人差し指と中指の間に少しばかり隙間ができるようにすることが肝心だ（イラスト下）。親指と人差し指でこの〝引きがね〟を作っておかないと、クラブを右手でまるでハンマーのように握ることになり、それによって余計な緊張が生まれるだけではなく、アドレスで右腕と右肩

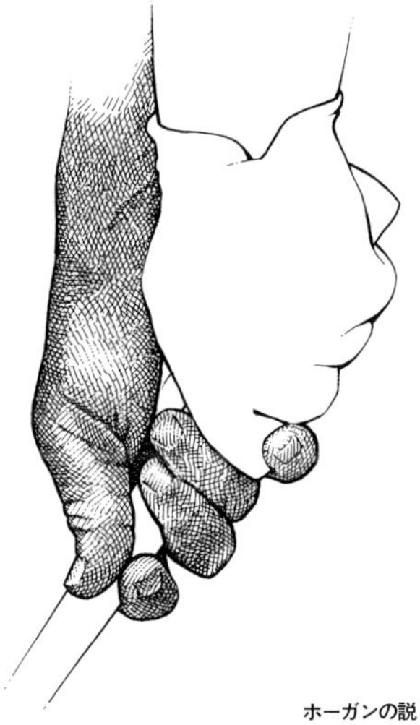

ホーガンの説く、右手の
正しいグリップ

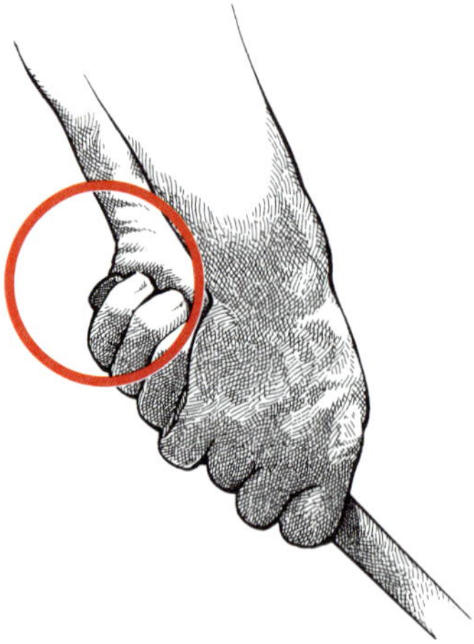

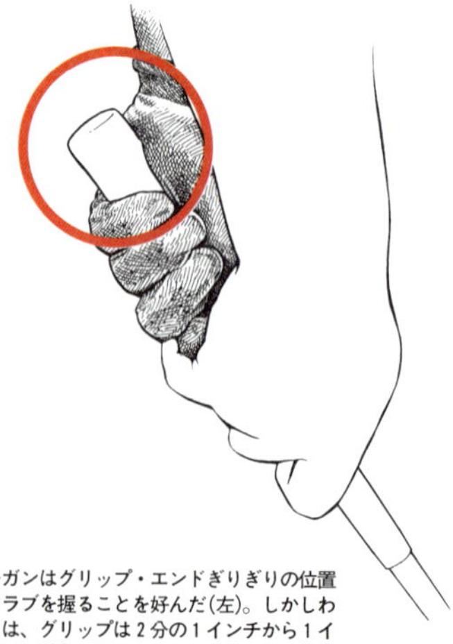

ホーガンはグリップ・エンドぎりぎりの位置でクラブを握ることを好んだ(左)。しかしわたしは、グリップは2分の1インチから1インチほど残して握るように、生徒たちに指導している（右）

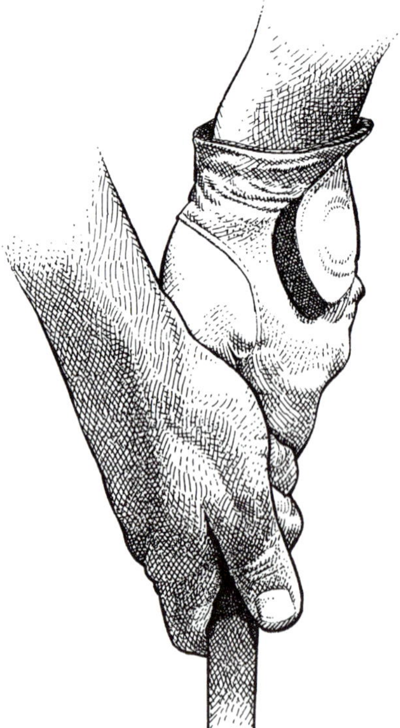

グリップ作りに真剣に取り組めば、最後には握りやすい正しいグリップが完成する

が過度な役割を果たすことになってしまうのである。

ショットごとに正しいグリップでクラブを握る秘訣は……と言っても、これはあくまでも練習中にするべきことだが…… クラブを体に対して45度の角度で持ち、目の高さでグリップを見ることだ。大半のゴルファーは、クラブヘッドを目の前のボールに向けた状態でグリップを握るため、初めに左手で深く握り過ぎ、右手はいい加減に当てがっている場合がじつに多いのである。この位置からグリップを調節しようとすることは、しょせん無理と言うものだ。初めから正しいグリップにしようとすれば、問題はなくなるはずである。わたしがこれまでに説いたグリップのルーティンを厳密に守れば、自然で楽なグリップがすぐにマスターできる。

現代のシャフトはかなりテーパーがきつく作られており、多くのグリップは先に行くほど厚みが少なくなっているため、わたしは生徒たちにグリップの右手が当たる部分に二回りほど余分にテープを巻くように指導している。グリップのその部分が太くなれば、クラブを両手に対して斜めに握

上からグリップを見た場合、普通両手は互いに対して平行に置かれ、右手にできるVの字はおよそ右肩を指す

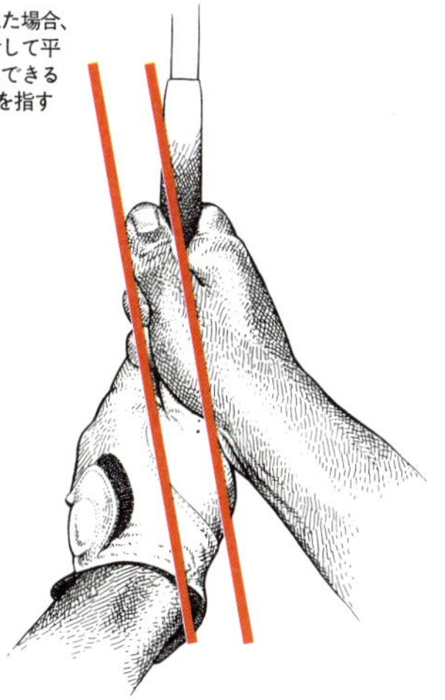

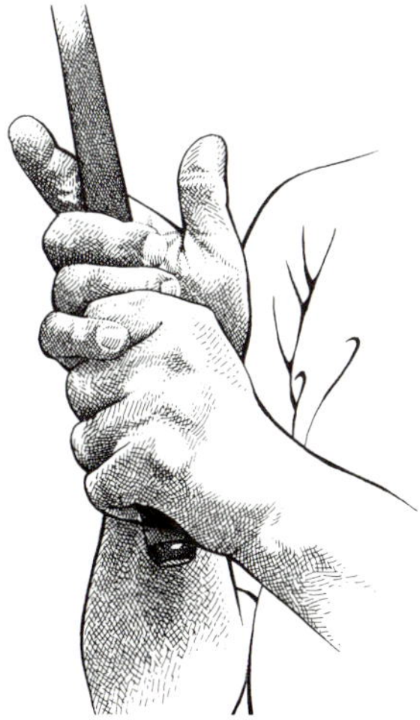

バードン・グリップを微調整したホーガンの方式

っている状態が強調されるし、ハンマーを握るのではなくて〝引きがね〟に触れるような感じを味わうことができる。右手の親指と人差し指が作るVの字は、ホーガンが言うようにアゴではなくて、むしろ右肩のあたりを指すべきである。しかし、もしあなたが腕のよいゴルファーで、フックに悩んでいるとしたら、インパクトでフェースをよりオープンにするためにホーガンがおこなったように、右手のグリップをいくぶん指の方向にずらしてクラブを握り、同時に以前よりもシャフトの上に来るようにする方法は、たしかに検討に値する。これは、試行錯誤を繰り返すことによって是正すべき問題であり、右手の働きを弱めることによって好結果が生まれる可能性はあるのだ。いずれにせよ、グリップに関して全般的に言えることは、両手は平行でなくてはならず、ピタリと合体することによって一つのユニットとしてクラブを支えなくてはならないということである。

ホーガンは、両手は一つのユニットとして機能すべきであり、決して離れてはならないと信じていた。わたしはバードン・グリップを少し修正した……つまり、バードンのように右手の小指をただ左手に乗せておくのではなく、左人差し指と中指の間に収めた……ホーガン方式を長期にわたって気に入ってきた。わたしの意見では、ホーガンのグリップは両手をバードンの場合よりもきっちりと合わせるもので、これはわたしが勧める両手の連結法でもあるのだ。一流プレーヤーでホーガンより手の小さい連中のうちの何人か……そのなかの3人を挙げれば、ジャック・ニクラス、トム・カイト、タイガー・ウッズということになる……は右小指を左人差し指に絡ませる、いわゆる〝インターロッキング・グリップ〟を採用しているが、わたし自身としては〝オーパー・ラッピング〟、つまりバードン・グリップのほうが指関節にストレスがかからないし、手のサイズが中から大までのプレーヤーにより適していると考えている。

ここで、グリップに関する結論を少し述べてみたい。クラブを握るときは、左手の中指から小指までの3本指でしっかりとグリップすること。また、右手の生命線の部分を左親指に押しつけること。こうして生じた圧力によって、スウィング中に両手は一体化したユニットとして機能するのである。正しいグリップを採用することによって、必要以上に緊張することなしに、スウィング中にクラブのバランスと重さを感じることができる。手首の十分なコックが楽にできると感じたゴルファーは、新しいグリップに馴染んだと感じることだろう。多くの人々は、新しいグリップに慣れる

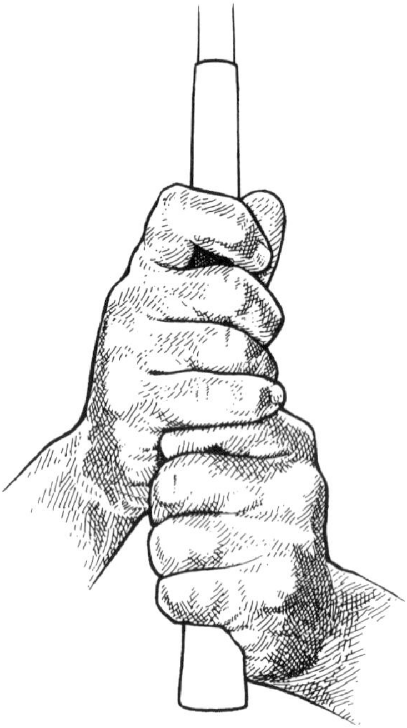

本来のバードン・グリップ

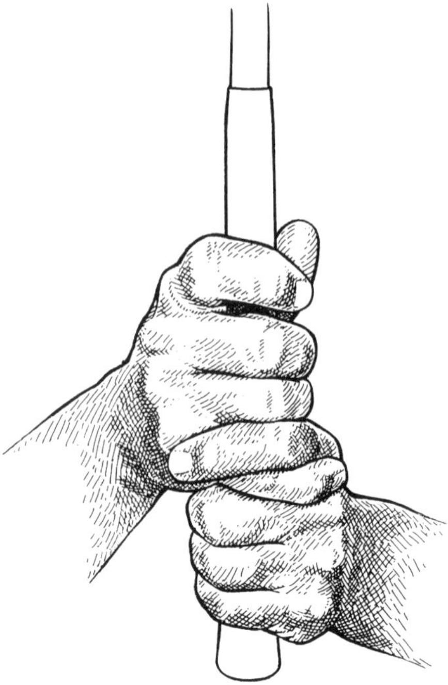

インターロッキング・グリップ

には何カ月もかかることを懸念するため、グリップを変えることに臆病だ。しかしわたしは、グリップを直すことに意欲的なゴルファーは、ごく短時間で、自分は昔からこうして……つまり、わたしの意見では自然な形で……クラブを握っていたと感じるようになるものである。正しいグリップは、性別や年齢にかかわらず、ツアー・プロまでも含むあらゆるゴルファーに福音をもたらす。

要するに、わたしが生徒たちに勧めるグリップは、左手は基本的には〝パーム・グリップ〟、右手は〝フィンガー・グリップ〟だが、これはいくらか微調整を施すことによって、あなたのゲームを劇的に変えることができるのである。

最後に、グリップの善し悪しは必ずしも外見だけではわからないことを、覚えておいていただきたい。外から見るとよさそうに見えても、グリップは両手を開いたときにクラブがどのように収まっているかを見るまでは、その本質は評価できない。昔の悪い習慣に立ち戻るのはじつに簡単だから、グリップは定期的に点検していただきたい。自分のパワーを両手をとおして効率的にクラブヘッドに伝えようと思うなら、クラブを握る両手の位置は毎回、完璧でなければならない。正しいグリップは、最高のプレーをする意思を伝える力強いメッセージなのである。

第2章 アドレス

ADDRESSING THE BALL

ADDRESSING THE BALL アドレス

ベン・ホーガンは、アドレスの取り方は
グリップのつぎに重要なステップであると考えていた。
アドレスは、一般的に〝セットアップ〟とも呼ばれているが、
ゴルファーがターゲットに対して正しい〝方向取り(アラインメント)〟をおこない、
スウィング中にバランスを崩さずに体を自由に回せるような姿勢で
ボールに向かって立つことを指す。正しくセットアップすれば、
体の大きな筋肉を使ってパワーを生み出し、
それをクラブヘッドへ伝えるという本来の目標が達成される……
ホーガンはそう信じていたのである。

セットアップの姿勢に入るとき、ホーガンはまずクラブフェースをターゲットに合わせ、つぎにフェースに合わせて自分の体の向きを定めた。スタンスはかなり広かったが、これはスウィング中に体のバランスを支える安定した基盤となった。ホーガンは、5番アイアンで打つ場合、ふつうのゴルファーはスタンスを肩幅程度に広げるべきだと考えていた。そして、クラブが長くなればスタンスはそれ以上に広げ、短くなればスタンスはそれ以下に狭めればよいという考え方だった。スタンスが広すぎたり狭すぎたりすると、スウィング中の体のバランスとスムーズな回転が損なわれてしまうのである。

ホーガンは、ゴルファーはアドレスで、まず右足をターゲット・ラインに対して直角に置き、つぎに左足のつま先をターゲットの方向に約20度ほど開いてセットするのが理想である、と述べている。左足をこのようにセットしたゴルファーは、クラブを後ろに引いていく際に腰を必要以上に回転させずに済む。しかしホーガンは、もし右足のつま先をターゲットに対して90度にセットせず、左足の場合とおなじように開けば、問題が起こると警告している。つまり、右足を開くことによってテークバックで体の動きが過度になるため、ス

右足はターゲット・ラインに対して直角に置き、左足は20度開く

ホーガンは右足を開くと問題が起こると考えていた

ウェイや体の沈み込みが生じたり、左ヒジが曲がってしまったりする。これらの欠陥は、バックスウィングのトップで、コイル（体のねじれ）がない弱々しい体勢を生むのである。また、右足を開くと、トップからインパクトにかけて両腕とクラブが右腰を中心に回り、〝アウトサイド・イン〟の軌道を描くことになるため、ミス・ショットの原因になる、とホーガンは説いた。

2度の全米オープン選手権とマスターズ選手権を制覇したケリー・ミドルコフは、スウィング評論家としても尊敬を集めた人物だが、彼はホーガン推奨の左足を開いて立つスタンスは、長い間ゴルフ界における基準として定着してきたと語っている。「このスタンスの起源は、少なくとも（ハリー）バードンまでさかのぼる」とミドルコフは書いている。「左足をこのようにセットすることで、ダウンスウィングの際の腰の動きが楽になり、インパクトからフィニッシュまで体を楽に回わすことができるという点は、全般的に常に受け入れられてきたのである」

アドレスにおける両腕の動きに関して、ホーガンはゴルファーは最大限のアーク（スウィングの弧）を達成するよう努めるべきであるという昔からの法則は正しいと見ていた。1886年と87年に全英アマチュア選手権を連覇し、ゴルフ関係の作家としても著名なホレース・ハッチンソンは、1895年、「クラブヘッドは、バックスウィングでボールから離す際は、ボールからできるだけ遠くまで持っていかなければならない」と書き、さらにつぎのように述べた。「そして両腕は、クラブヘッドがボールから離れる際に、ワン・モーションで引いていけるぎりぎりのところまで、最大限に後ろまで引くべきである」。それから約50年後に、ボビー・ジョーズはこう書いている。つまり、「スウィングのアークは大きくなければならない。それは、ボール目めがけて振り下ろされるクラブヘッドのスピードを速めるために、空間と時間を最大限に

両ヒジの窪みは空を指す。ホーガンは両腕をロープで縛りつけた状態をイメージした

両ヒジの窪みは対面してはならない

利用することが必要だからである」と。最大限のアークを作ることを推奨するにあたって、当時容認されていた理論に従っていたことは確かである。彼はスウィング中は少なくとも一方の腕は真っ直ぐ……あるいは十分……に伸びた状態にあるべきだという前提で、スウィングについて説いたのだった。

アドレスでは、両腕の上腕部を胸に押しつけ、両ヒジを絞り込んだ状態で互いに近づけ、左右の腰骨の方向に向けた状態が正しい、とホーガンは書いている。それぞれのヒジの内側にできる窪みは空を向いていなくてはならず、向かい合ってはならないと指摘している。彼はアドレスで、両ヒジと両手首がロープで結わえられている状態をイメージしたのだった。彼はスウィングがフィニッシュに達するまで、ヒジと腕のこの関係を維持し続けることが必要だと考えていた。そして、アドレスでは左腕は肩から真っ直ぐ自然に垂らした状態が理想であると説く一方で、右腕をヒジの部分で少し曲げるように指導している。そうすることによって、テークバックでクラブが後ろに引かれ、トップの位置で右ヒジが地面を指す（これはホーガンにとって理想的なポジションだった）位置に来るまでの間、右ヒジを体の近くに引きつけておくことが可能になるのである。

アドレスのポジションに関するホーガンの最後の注文は、姿勢に関するものだった。彼は、ゴルファーの胴体とヒザの位置を重視した。彼が抱いていた正しいアドレスのイメージは、まずゴルファーが直立し、つぎにシート・スティック（スポーツ観戦用のスツール）に腰かけるときのように、

左腕を真っ直ぐに伸ばす

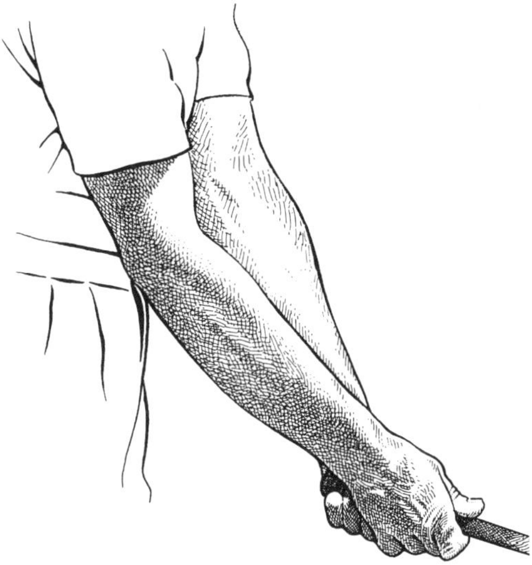

左腕を伸ばし、右腕を胴体に引きつける

ヒザの曲げ具合を誇張して見せるホーガン

誤った姿勢を真似して見せるホーガン

腰を2インチ（5センチ）ほど下げた状態だった（イラスト上）。この中腰の姿勢を取ると、ゴルファーは臀部に筋肉の張りを感じ、脚はヒザから下の部分に緊張感がみなぎる。同時に、ホーガンが見たところでは、これで体重はかかとのほうにかかった。この場合、多くのゴルファーに見られるように、肩を屈めたり、脚を突っ張ったり、ヒザを深く折り曲げたりすることは禁物だ。トミー・アーマーは、1927年度全米オープン選手権、30年度全米プロ・ゴルフ選手権、そして31年度全英オープン選手権の覇者で、優れたインストラクターでもあるが、同じような姿勢を推奨し、つぎのように書いている。「ボールに対して、可能な限りアップライトに立つこと。この際、体を硬直させてはならず、両ヒザを少し曲げてここちよいアップライトの姿勢を取ることが肝心だ」。ホーガンもまた、ヒザをわずかに曲げたアドレスの姿勢をよし

セットアップの姿勢を練習するときは、まず真っ直ぐに立ち、クラブヘッドをボールの上に持ってくる

つぎに、体を前傾させてクラブヘッドをボールの後ろにあてがう

として、さらに両ヒザをいくらか内側に絞りこんだ形が理想的だと述べている（この場合、右ヒザのほうが左ヒザよりさらに絞りこまれる）。このように非常にアスレチックな姿勢を取れば、アドレスで完全にバランスの取れた体勢ができるから、正しいスウィングがいつでもできる、とホーガンは考えたのである。

私の見解

ベン・ホーガンのアスレチックなセットアップの迫力をスチール写真でとらえることは、まず不可能である。彼のセットアップは力強く、活力と躍動感に満ち、極めて果断である。ホーガンが上体をほとんど前傾させず、ヒザもほとんど曲げずに背筋を伸ばして立ったのは、身長が５フィート９インチ（178センチ）足らずで腕が長く、大臀筋がみごとに発達した彼の体軀のせいだ。彼の臀部……と敢えて言うことにする……はじつに巨大で強力だった。そのため、直立してスウィングしてもパワーが失われることはなかったし、特に彼の場合には肩を水平なプレーン上で回すことができた。だからこそ、あのホーガン独特のフラットなスウィングが可能だったのである。自分は体重をかかとで感じることを好む、とホーガンは言っている。しかしわたしは、多くの運動選手……例えば、バスケットボールでフリースローの体勢に入る選手……の場合のように、ホーガンは実際には、体重を土踏まずから足指の付け根の膨らみの部分にかけていたのではないかと思っている。ホーガンの写真は、直立してはいるものの、体重は彼自身が考えていたほどにはかかとのほうにかかっていなかったことを示しているからだ。

ホーガンのアドレスはスウィングを支える堅固な土台となり、広いスタンスはスウィング中に体のみごとなバランスの維持を可能にした。ホーガンの体のしなやかさと動きの幅が注目に値するものであった点を、思い起こしてほしい。だからホーガンが、自分の柔軟性が許す限界まで体を伸ばしたり回転させたりしないようにするために、ある程度、体の動きを抑制しなければならなかったのは、べつに驚くほどのことではない。そうすることによって初めて、彼はスウィングをコントロールすることができたのである。バックスウィングで腰の回転を抑えるために重要だとホーガンが常に説き、自らも用いた抑制法の一つは、右足を開かずに、ターゲット・ラインに対してかなり直角に置くことだった。わたしが〝かなり直角に〞と言うのは、ホーガン自身は右足はターゲットに対して直角に置いたと語ってはいるが、わたしが今回検証したほとんどすべての写真のなかでアドレスを取っているホーガンは、右足をわずかばかりだが開いているように見えるからだ。わたしは、多くのプレーヤーは……特に体の柔軟性に欠けるゴルファーの場合……右足を完璧にスクエアにしてアドレスした場合、バックスウィングで体を回し切れずにもがくのが常であると心得ている。その結果、彼らは肩と腰の回転を途中で止めてしまう。一方、左足について言うなら、わたしはほぼ20度開いた状態が理想的だというホーガンの意見に賛成だ。ホーガンが左足を開いている角度を測定して、彼の場合、じつはそれが少なくとも30度はあることを発見して、わたしは興味をそそられたものである。いずれにせよ、腰が過度にスライドする……つまり、腰が左に回転する前にターゲ

実際にアドレスに入ったとき、ホーガンの右足は自分自身が説いているほど直角ではなかった

ット方向に水平にずれてしまう……ゴルファーは、左足を開く角度を20度以内に止めることによってこの問題に対処することを勧めたい。

ボールをフックさせたくないという願望が直接的な動機となって、ホーガンがアドレスでおこなったさまざまな調整は、注目に値する。本著の前のほうでわたしは、彼の左手のウィーク・グリップと、クラブを指で握る右手のグリップについて述べた。そのため、彼の右腕はアドレスで左腕よりはるかに上に来ている。これは、一目でわかるフック防止のための構えだ。アラインメント（方向取り）のその他の部分に関しては、ホーガンは体のライン……つまり、足、ヒザ、腰、肩……をターゲットに対して平行にセットする通常のスクエアなセットアップは採用していない。クラブフェースこそターゲットに向けられてはいるが、スタンスはクローズで右方向を向いており、ヒザ、腰、そして肩はそれぞれわずかにオープンで、狙っているターゲットの左を指している。

ホーガンは、アイアンを握ってもウッドを握っても、両手をスタンスの中央で構えており、そのため手はボールよりわずかに後ろに来ているような印象すら与え兼ねないことも、指摘されていいだろう。これは、今世紀初頭に活躍したプレーヤーたちが好んだセットアップを思い起こさせる。大半のプレーヤーの場合、手はボールより前（ターゲット側）に来るが、この傾向は現代のツアー・プロに至ってはなおさらのことだ。わたしの好みを言えば、ドライバーを握った場合は、両手はボールより少し後ろに置くのがよい。これは、ボールをティから払うようにして打つアッパーブロー

フック防止のセットアップ（右腕が左腕の上に見える）

ホーガンの両腕は、実際には本人が言うほどまでは〝固く〟縛りつけられていなかった

のスウィングを可能にするためだ。アイアンの場合は逆に、両手はボールよりすこし前に来るほうがよい。ダウンブローでボールを潰して打つことを可能にするためである。

スウィング中に無駄な動きはしないという信条を実践するにあたって、ホーガンは両腕が縛られた状態をイメージした。スウィング中にヒジと腕ができるだけ離れない状態を保つことの重要性を示したかったのである。しかしわたしは、この方式は大半のゴルファーにとって役に立たないと思う。このようなイメージからは、ホーガンが求めた両ヒジと両腕の一体感よりも、アドレスにおける体の硬さとテンションがある程度想起されてしまう。しかしながら、ホーガンの実際のアドレスを見ると、腕に硬さはまったく見られず、むしろ逆の状態が窺える。つまり、彼自身が説いているように、両腕は柔らかで、緊張は少しも感じられないのである（ホーガンは、「ゴルフは非常に楽しいゲームであり、不自然に体を緊張させることは不必要だし、望ましくもない」と書いている）。また、ホーガンはアドレスで、彼自身が勧めているほどには、両ヒジの窪みの部分（〝ポケット〟とわたしは呼んでいる）を上に向けていない。ヒジを張った状態と、彼が勧めている位置の中間のどこかに向いている。ホーガンがアドレスの初期に両腕を近づけ、胸に密着させた状態をイメージすることによって安心できたことは明らかである。もし両腕が正しく連結している……つまり、よく締まってコンパクトなスウィングができる……と感じたいのなら、そのような状態を初めから作っておいてスウィングを開始すればよいではないか、とホーガンは考えたに違いない。彼の腕の位置は、トップで右ヒジをよく締めて体の近くに持って来るために、意図的に考案された部分が多い。これは、彼と同じくらい体が柔軟なゴルファーには理想的かもしれないが、わたしとしては大多数のゴルファーには不向きではないかと思う。この点については、のちほど詳しく述べたい。

ホーガンは、多くのプレーヤーのスタンスに見られる弛緩しただらしない姿勢は避け、中腰のアスレチックなポジションを作るように勧めているが、これは優れた提言である。たしかに、ホーガンが勧めるセットアップは、みごとに〝アスレチック〟でゆとりを感じさせるが、安定した姿勢とスタンスを作るためには、個々のゴルファーの体軀が重要な役割を演ずるという重要な事実が残ることを、記憶しておいていただきたい。特にホーガンの場合にそれが言える。しかし、すべてのゴルファーが理想とするモデルに倣えるわけではない。背が高かろうが低かろうが、手足が長かろうが短かろうが、太っていようが痩せていようが、これらの要素はすべてセットアップの問題に微妙に関わってくる。その結果、あらゆるプレーヤーのアドレスに、個人差が出るのだ。アドレスで肝要なのは、安定性とバランスを保つことに加えて、スウィングが終わるまでこのバランスが維持できる感覚である。ホーガンが実践し、飛距離と比類のない正確性で証明したように、体はスウィング中、ハイ・スピードで流れるように動かなければならない。彼の姿勢はダイナミックで、なおかつリラックスしていた。読者諸氏も努力次第で、ホーガンと同じように効果的で安定したセットアップを身に付けることができる。しかし、当然のことながら、その形はホーガンとは異なったものにならざるを得ないのである。

80を切るか、それ以下のスコアを出すために

ボールの前に立ったとき、偉大なプレーヤーは誰でも特徴のある格好をするものだ。簡単に言えば、異なったスタンスと姿勢は体型の差違によってほぼ決まってしまう。しかし、あらゆる模範的なセットアップに見られる最大公約数は、それによってゴルファーがアスレチックで〝発進態勢の整った〟ポジションに身を置き、静止しているクラブをそこから動かして超スピードを生むことができるという点である。そのためには、完璧なバランスが求められる。しっかりした土台……つまりスタンス……を作ることは、その作業に不可欠な要素なのである。

アスレチックなセットアップが必要なのは、つぎに来るアクションに備えるためである。上体はかなり直立していなければならないというホーガンの意見に、わたしは全般的に賛成する。そうすることによって、多くのゴルファーに見られる肩を屈めて背中を丸くし、上体を大きく前傾させることによって体の正しい動きを著しく阻害する傾向に、確実に対抗できるからだ。しかしその反面、アドレスで真っ直ぐに立って構えようとするゴルファーの場合、上体があまりにも垂直になるために、頭と首の位置が高くなりすぎてテンションが生まれることがある。これでは、胴体の前傾がまったく見られないアドレスになりがちである。だから、この軍隊スタイルのセットアップもよくないということになる。ホーガンの場合は、基本的には彼の体型が直立型のセットアップを取らせた

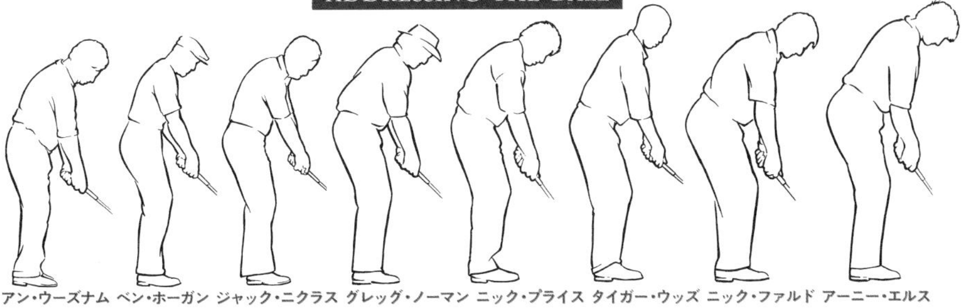

イアン・ウーズナム ベン・ホーガン ジャック・ニクラス グレッグ・ノーマン ニック・プライス タイガー・ウッズ ニック・ファルド アーニー・エルス

一流プレーヤーのアドレスの姿は千差万別だ。セットアップの姿勢は、個々のプレーヤーの体型で決まるからだ。
そうした姿に共通に見られるのは、アスレチックで、〝発進準備を完了した〟態勢である。

のであり、彼はこのような格好で立っていて非常に寛いでいるように見えた。ドライバーで打つときのホーガンは、おおよそ20度ほど上体を前傾させていたが、大半のプレーヤーの場合はこの角度は平均して30度といったところだろう。キャリアの浅かったころのホーガンは、上体をもっと前傾させていた点は興味深い。これはおそらく、当時の彼のスウィングがもっとアップライトだったことを示すのだろう。

体の前傾角度……これはしばしば〝スパイン・アングル〟と呼ばれるが……は、肩を回して円運動をおこなう角度を決定する。上体を30度前傾させると、20度傾斜させた場合に比べて肩は、いくぶん険しい前傾軸を中心に回転する。この場合、ホーガンのフラットな肩と腕のプレーンに比べて、よりアップライトなプレーン上で腕を振ることになる。ふつうわたしは、体がさらに自由に動かせる、よりアップライトなプレーンを好むから、より多くのプレーヤーがほぼ30度の前傾角度を採用することに賛成である。キャリアの中ごろにホーガンが採用した、アドレスで背筋を伸ばしてアップライトに立つ姿勢は、彼がよりフラットなプレーンでスウィングする一因だったことは確かである。これは、読者各位が考えていることに矛盾すると思われることだろう。なぜなら、常識的に考えれば、アップライトに立てばそれだけスウィングもアップライトになるはずだからである。もちろん、もしゴルファーが単に腕を振り上げるだけでバックスウィングに入るなら、そうなるに違いない。しかし、体を正しく回転させれば……そのコツについては後述するが……アップライトな姿勢はふつうより水平な肩の回転を誘発し、その結果、よりフラットなスウィング・プレーンが生まれるのである。一方、前傾の激しいセットアップの場合には、これと逆の結果が起きる。つまり、肩の回転に、より角度がつくので、よりアップライトなスウィング・プレーンが生まれるのである。

教える際にわたしは、正しいスタンスを作るカギは、腰を伸ばして、リラックスしながら上体と首を少し前に曲げ、それによって腕が自然に肩から垂れ下がった姿勢を取ることにあると、繰り返し強調する。肩を張って、上体を過度に真っ直ぐに保とうとすると、不必要なテンションが生まれてしまう。逆に腰を伸ばすことに集中すれば、下半身が安定し、胴体と背骨が一定の軸を中心に左右に滑らかに回転する。したがって、背骨を安定した前傾角度に保つことが不可欠になる。つまり、ヒザを適度に曲げることに加えて、腰の部分を起点に上体を適度な角度に前傾させることが必要だということである。

アドレスのポジションがアスレチックであるために求められる、背骨の前傾角度とヒザの曲げ具合は、ゴルファーの体型……つまり、ゴルファーの背丈や脚と腕の長さ……によって多少異なる。ゴルファーが使うクラブも、前傾の度合いに影響を及ぼす。たとえば、ウェッジの場合は3番アイアンよりも前傾の度合いは大きくなる。総合的に言えば、ここで理解すべき重要な概念は、アドレスでどのような背骨の前傾角度を作ったとしても、いったん作った以上はスウィング中……それも、少なくともインパクトまで……はなんとしても維持しなければならない、ということだ。ホーガンは前傾角度をことさら忠実に維持したのだった。

ゴルフのスウィングが幾何学的な運動と考えられることには、当然のことながら一理ある。さまざまなアーク、プレーン、線、そして角度が含まれるからだ。これらの要素のうちのいくつか……それも、特にアドレスに関して……をよく理解し、心に刻み込んでおけば大いに役に立つ。これは、同じ軌道とリズムで反復できる力強いスウィングを作る際に非常に有利である。わたしの意見では、ゴルファーが認識しておかなければならないもっとも重要な要素は、アドレス時の体の前傾角度である。これは、簡単に言えばこういうことだ。つまり、正しい姿勢を取ることは、それ自体が幾何学的に健全なスウィング作りに大きく寄与する、ということなのである。

ホーガンは、5番アイアンでふつうにショットする際、スタンスの広さは肩幅に合わせる、と説いている。しかしわたしは、ふつうの体型のゴルファーにとって、肩幅に合わせたこのスタンスは許容できる最大の幅だと考える。これは、じつは5番アイアンではなくてドライバーの場合に許されるスタンスの幅なのだ。だからふつうの体型のゴルファーは、ドライバー以外のクラブを使う場合、スタンスは肩幅より狭くすべきであり、ロン

両足の内側間の距離は、ドライバーの場合は肩幅と同じにすべきあり、クラブが短くなるにつれて次第に狭めていけばよい、とわたしは考えている

グアイアンからショートアイアンに移るにしたがって、徐々に狭くしていくことが必要である。もっとも、この場合もホーガンの助言は、体のバランスをよくしたいと願う長身で脚の長いゴルファーや、スウィング中に脚を過度に使う癖のある上級ゴルファーにとっては、極めて適切なのかもしれない。わたしがホーガンより狭いスタンスを勧める理由はつぎのとおりだ。つまり、ハイ・スピードの動きのなかでバランスを保ちながら体を動かすだけの運動機能のないゴルファーの多くは、手や腕をもっと自由に動かすことに神経を集中させると同時に、体の過度な動きを制限する必要があるという点である。スタンスを少し狭くすると手と腕がより自由に動かせるようになり、正しい

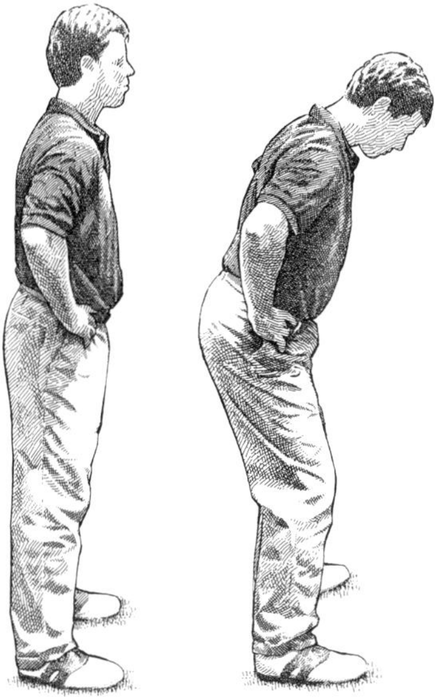

アスレチックな姿勢を身に付けるためのドリル

リズムが生まれる。また、流れるような動作でクラブが振れるようになるのである。わたしはときにはスタンスの幅を6インチ（15センチ）にまで狭めてボールを打つエクササイズを生徒にさせ、こうした動作を身に付けさせようと努めている。体が思うように動かず、パワーに欠けると思っているゴルファーは、このエクササイズを試してみてはどうだろう。

前の文章で〝体の過度な動き〟に触れた。わたしにとって〝過度〟とは〝浪費〟を意味するが、スウィング中は無駄な動作は避けねばならない。じつは、ホーガンの動きにも無駄はあった。マイナスの作用をもたらさなかったことは明らかだが、ホーガンはドライバーを持つと、ときどき、インパクトの前に右足を肉眼で確認できるほど顕著にターゲットの方向にスライドさせていたのである。このことは注目に値する。これはスタンスが非常に広かったことを示すものだが、彼としてはドライバーでボールを激しく叩く際に〝てこ〟の作用を生むためには、それを必要なことだと考えていた点は明白である。確かにホーガンは、ドライバーを思い切り強く振っていた。

インストラクターの生活をとおして、わたしはアドレスのスタンスが広すぎるゴルファーは、体を過度に使う傾向があり、その結果、クラブヘッドのスピードは落ち、ボールをスクエアにとらえられなくなると観察してきた。体をこのように極端に使えば、結果的にインパクトでボールを強く叩くことが不可能になる。そして、もちろんのことだが、インパクトでいい感触が得られた時点で初めて、ゴルファーはそれまでおこなってきた実験の効果を認識させられることになるのだ。つまり、インパクトに至るまでの時点で一連の正しい動作をおこなっておけば、正しいインパクトはかならずできるということだ。

いつも言っていることだが、ドリルは正しいポジションを作る手助けになる。ここでは、クラブを使わないでおこなうドリルをお勧めしよう（イラスト上)。アスレチックな姿勢を教えるために、わたしは自分の生徒たちにこれに取り組ませて効果を上げている。まず、足を楽に開いて立つ。ただし、ホーガンが説くスタンスより少し狭くすること。足を楽に開いたら、両手を腰に当てる。つぎに、直立して正面を見る。そのあと、両ヒザを

両足を約20度開いたスタンス

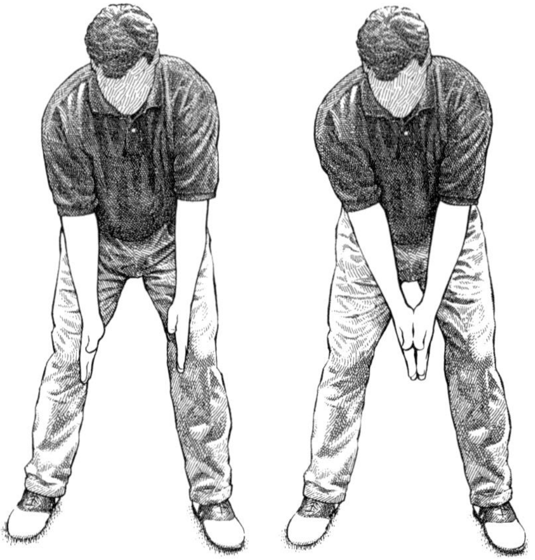

この姿勢で両手を叩くことによって、両腕がリラックスしたポジションを作る

少し曲げ、ヒップを正面に向かって動かす。この動作によって、尾てい骨の位置は上がり、腰が伸びた感じがわかるだろう。ここで、上体が胴のくびれからではなくて、ヒップを支点にして前傾している感じをつかむことが必要だ。この姿勢が正しくできれば、体重をつま先からかかとまで前後に緩やかに移行させるロッキング・モーションができるはずである。つまりこれは、体重が足の中心部にかかっていることと、体全体の安定感を作り出していることを示すのである。このドリルを自宅の鏡の前で裸足になってやれば、このようにバランスの取れた姿勢がよく体感できることだろう。また、セットアップの練習では、地面（この場合は床だが）の固さや抵抗感も感じるようにしなければならない。それを体感すれば、正しいスウィングをするための安定した基盤ができることになる。そして、つぎにこのポジションでクラブを握るとき、肩と上体は腕を前へ動かすことによって自動的に丸くなり、リラックスした、きわめてアスレチックなポジションができ上がるのである。

多くのゴルファーは、右足を少し開くことでよい結果が生まれる。ホーガンのように体が極端に柔軟で、バックスウィングでヒップの動きを抑える必要のあるゴルファー以外には、右足を開くようにわたしは勧める。しかし、彼ほど柔軟なゴルファーはおそらくあまり多くはないだろう。したがって、ここで採用すべきルールは、バックスウィングのボディターンを完結させるために、体を

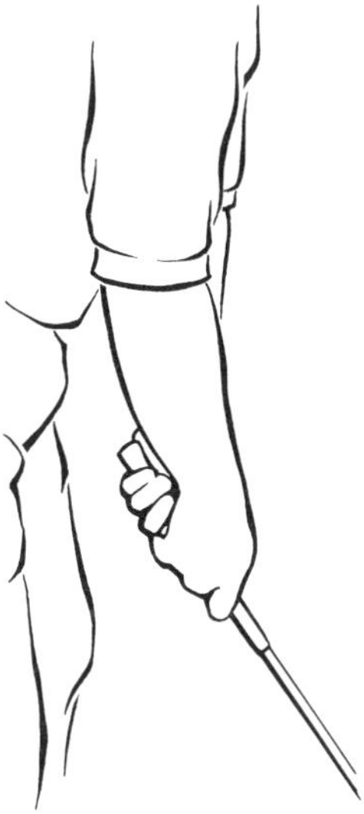

アドレスで、両腕はターゲット・ラインに対して平行

右腕が左腕の下に来ると、ドローが出る

より多く動かさなければならないゴルファーは右足を開き、そのような動作を必要としないゴルファーは、逆に閉じればよいというものだ。いろいろなスタンスを実験して自分に合うものを見つけることが肝心だ。わたしの好みは、一般的に言って両足をそれぞれ20度ほど開くやり方だ。そうしておけば、体を両方向に効率的に回せるからである。

さて、ここで腕の位置に焦点を移そう。これはクラブを使わないでおこなう、正しいセットアップを作るためのドリルの延長と考えていただきたい(左頁イラスト)。前のドリルのときと同じ姿勢で両腕を自然に垂らして、左右のヒジがほぼ腰骨の方向を向いた状態で、手を叩いてみる。手を叩く動作をおこなうことによって、両腕は力みのない〝ソフト〟なポジションに収まり、右手を左手に被せれば、ホーガン方式のアドレスになる。アドレスの姿勢を取っているゴルファーをターゲット・ラインに沿って後ろから見るとき、フェードを打とうとする以外は、わたしは両腕がラインと平行に置かれていることを求める（ホーガンが誇張したと思われる、右腕が左腕の上に来るアドレスをわたしは好まない)。しかしわたしは、長いクラブで打つときに右足を引くことによって、足に関する限りターゲットに対していくらかクローズに（つまり、ピンの右を狙って）見えるホーガンのアドレスは好きである。この姿勢を取った場合、両足のつま先を結ぶラインの助けで、ダウンスウィングからインパクトにかけてのクラブヘッドの

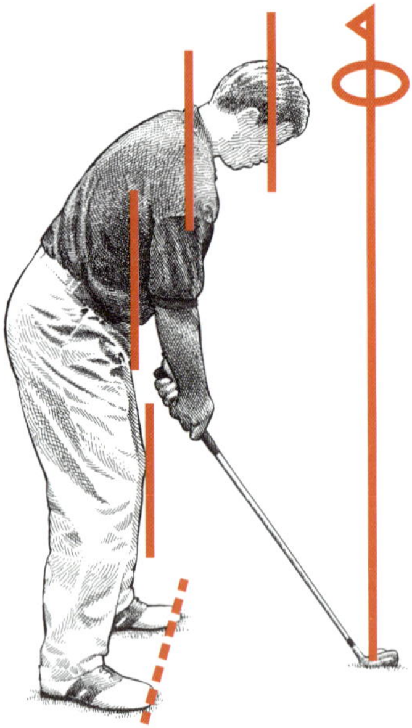

右足を引いたクローズのスタンス。目、肩、腰、ヒザの線はターゲット・ラインに対して平行

アドレスでは左腰の位置は右腰より高くなり、右ヒザは内側に〝キック・イン〟される

インサイド・アウトの軌道を、はっきりイメージすることができるからだ。また、右足を後ろに引くことにはもう一つの利点がある。つまりそれによって、クラブヘッドが正しい軌道の上を走るばかりか、右足を外側に開くこと（これは体の柔軟性を欠くシニア・ゴルファーにとってかなりプラスになる）とほぼ同様に、バックスウィングで右の腰が邪魔にならなくなるという点である。しかしながらわたしは、目標の設定とアラインメントの練習をする場合には、足以外の部分はすべて、ヒザも、腰も、肩も、目も、可能な限りターゲット・ラインに対して平行にしておくことをお勧めしたい。

結びに、いくつかのポイントを挙げておこう。わたしは、後ろから見たホーガンのアドレスの姿勢が気に入っている。左臀部が右より上がっていて、右ヒザはわずかにキック・インされている。このため、背骨は垂直の状態からいくぶん右サイドに傾斜がかかっている。そしてウッドで打つ場合、この姿勢を取ればバックスウィングで頭をボールの後ろに残し、インパクトが終了するまで同じ位置に止めておくイメージが、はっきりつかめるのだ。右ヒザを少し内側に寄せ、左腰を右腰より１インチ（2.5センチ）ほど高くしてセットアップすると、好結果が生まれる。ちなみに、この姿勢を取れば体の右サイドは自動的に左サイドよりも低い位置に来る。

ヒザについてさらに詳述すると、わたしは右ヒザを少しキック・インすることには賛成だが、左ヒザを内側に寄せるのはどうかと思う。一般的に言って、両ヒザを内側に絞り込むと体のスムーズな回転が損なわれ、実際に〝逆ピボット〟のスウィングになりやすい。だからわたしは、左ヒザは左足の内側の地点の真上に来ていれば理想的だと、生徒たちに教えている。そのほうが見ている者にとっても、ゴルファーにとっても自然だと思うのである。

本章のなかほどで、ホーガンの背筋を伸ばした〝高い〟姿勢について手短に触れた。わたしは一般的に言えば、ホーガンの説く形よりも上体をさらに前傾させた姿勢を好むが、ゴルフでは……あらゆることにおいてそうであるように……この場合も、ある程度の選択の幅は許されるのである。たとえば、もしある生徒がバックスウィングで肩の線を過度に傾斜させ、そのためスウィングが非常にアップライトになっているとしたら、わたしは迷わずホーガンの〝高い〟アドレスの姿勢を取り、その結果、肩がより平らに回転するやり方を選ぶように勧める。一方、バックスウィングで平ら過ぎるプレーンで肩を回すことによって、効率的な体のコイル（捻り）とストレッチが不可能であることが歴然としているゴルファーの場合には、わたしは体をもっと前傾させて、コイルを充実させるためにもっと肩を傾けるように仕向けるだろう。

セットアップが（もちろん、グリップと並んで）スウィングのなかの定数的要素であること……これは静のポジションだから、反復してコントロールすることが可能な要素である……を記憶しておいてほしい。特に鏡を使って練習すれば、セットアップが正しくできるようになる。わたしはゴルファー、それも特にツアー・プロに他の分野よりも集中して教えるのが、じつはこのセットアップなのである。ゴルファーは常にセットアップを変えているが、それを自覚していない。毎日正しいアドレスのポジションを取るのは難しいことだから、これは理解できる。体を捩じったり、曲げたり、傾けたりするのは、誰にとっても自然な所作ではないのだ。それに加えて、ある日は平らなライが望めない起伏の激しいコースでプレーし、つぎの日は突風や雨のなかで、足場を固めるためにスタンスを広げることに専念してプレーするというように、プレーの状況は日毎に異なる。だから、セットアップが本人の気づかないうちに変わってしまう原因はたくさんあるのだ。

疲労もその理由の一つかもしれない。アーニー・エルスはシーズンの終わりが近づくと、疲労を感じるようになり、アドレスが不安定になる。好調なときにくらべてはっきりわかるほど低い姿勢を取るようになり、その結果、バックスウィングがいくぶん窮屈になる。アーニーはそれをダウンスウィングで補おうとする。すべてはアドレス時の姿勢に起因する。だから、アドレスの姿勢を常時チェックすることは、非常に重要である。それは本質的にゴルファーが気づかないうちに変わってゆく性格のものであり、その結果、スウィングまでが変わってしまうからである。

誤った姿勢は、スウィング中に発生する多くの問題の根元である。だから、自らを厳しく律し、あらゆる機会を利用してアドレス時の自分の姿勢を吟味してほしい。正しい姿勢がゴルフにおいてなにを意味するか認識することは重要であり、その唯一の手段は自分の姿勢をきちんとモニターすることだ。努力と忍耐は必ず報われる。スタンスと姿勢は、スウィング改良の絶対的な基礎要素であるというわたしの言葉を信じていただきたい。これは、最高のプレーヤーにとって真実だが、それ以外のすべてのゴルファーにとっても、同じように真実なのである。

ここでわたしは、体に合ったクラブを使うことの重要性にも簡単に触れておきたい。セットアップを完璧にし、毎回同じリズムとプレーンで反復できるスウィングを作るためには、体に合ったクラブを使用することが重要である。たとえば、背

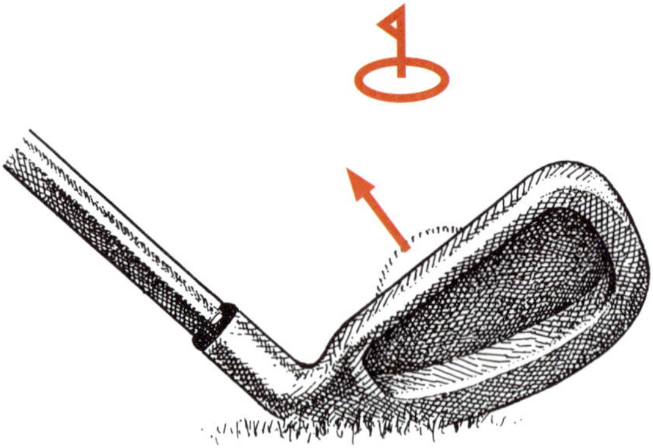

トゥが地面から離れている。
ショットは左に出る

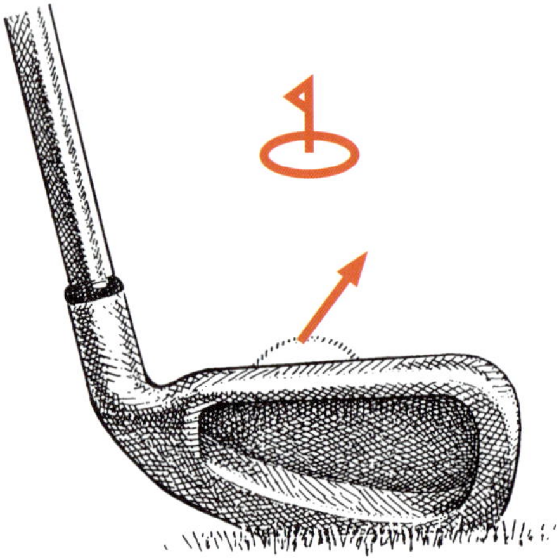

ヒールが地面から離れている。
ショットは右へ出る

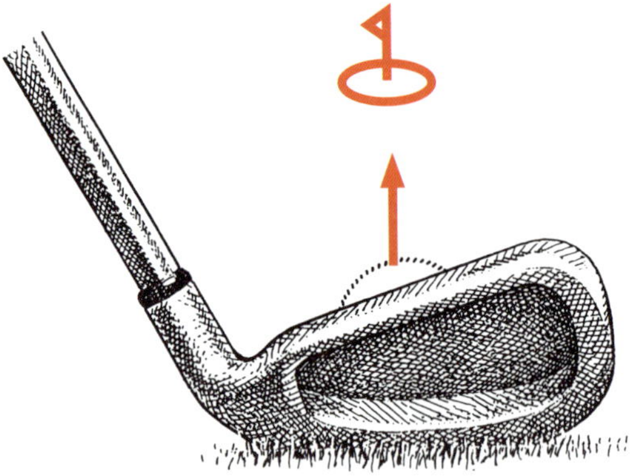

体に合ったライ角度。ボールは真っ直ぐに出る

の低いゴルファーがスタンダードなライ角度のクラブを使えば、クラブのトゥの部分が地面から離れていると感じて当然である。これではショットを左に引っかけ易い。長身のゴルファーの場合は、逆にヒールが地面から浮いていると感じる。これでは、ショットは右に出てしまう。クラブのソールは、アドレスでターフに対して可能な限り平行になっていなければならない。そうでないとゴルファーは、体に合わないクラブのせいで、ボールを真っ直ぐに打つためにスウィングを補正することになる。しかし、こうした手直しは、終局的に間違ったスウィングを生むのである。だから、専門家のアドバイスを受けて、ライ角度やシャフトの長さばかりでなく、シャフトの硬さ、材質（たとえばグラファイトがよいかスチールがよいか）、重量、グリップの太さ、ヘッドのデザインなど、あらゆる点で自分に合ったクラブを選ぶことが望ましい。優れたテクニックと体に合ったクラブは、切り離すことのできない関係にあるのだ。

第3章 バックスウィング

THE BACKSWING

THE BACKSWING バックスウィング

長年スウィングについて研究し、しばしば教えていたこともあって、
ホーガンは1946年までにスウィングの力学が理解できたと考えた。
彼は明確な目的の達成に意欲的に挑み、
長時間、独力で黙々と練習と研究に励んだ。
だが彼には他人から学ぼうとする謙虚さもあった。
たとえば、タコマ・カントリークラブで開催されたあるトーナメントで、
練習場でドライバーを打っているホーガンに、
仲間のツアー・プロのカイ・ラフーンがアドバイスを与えている。
ホーガンは知識の吸収意欲が旺盛な人物で、常に新しいことを実験し、
改良し、そしていつもなにかを学んでいた。
事実、ホーガンはレッスン書の処女作、『パワー・ゴルフ』を、彼の時代の傑出した
プレーヤーでインストラクターでもあったヘンリー・ピカードにささげている。
ピカードは定期的にホーガンのゲームの指導に当たり、フック防止のために
グリップを改良する際に力になった人物だった。

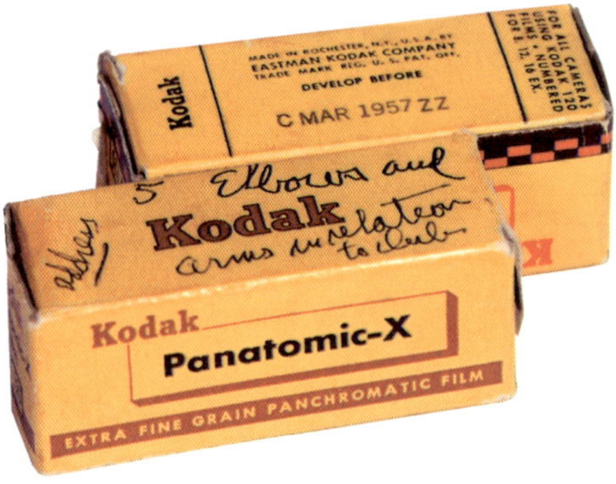

厳しい鍛錬の末にホーガンが得た知識が有効であることは、数々の主要な大会で立証された。1946年、ホーガンは全米プロ・ゴルフ選手権制覇に加えて、その他12のトーナメントで優勝し、賞金獲得額トップでそのシーズンを終えた。ホーガンは自分のスウィングがもっとも苛酷なプレッシャーに耐え得ることを証明しなければならなかったが、これは彼がいずれは直面すべき宿命的な試練だったのである。

ホーガンは非常にこまかな点にまで注意を払う

人間だったから、スウィングに含まれるあらゆる要素がそれぞれ重要であると考えたのは、驚くに当たらない。ホーガンにとって、スウィングのあらゆる側面、あるいはスウィングに入る前の準備は、いずれも決して軽んじてはならないことだったのである。ホーガンは、ワッグルはセットアップから効果的にスウィングに移行するために不可欠な働きをすると考えていた。彼は、ある研究課題の調査と解決に取り組む学者に勝るとも劣らない入念さで、ワッグルの研究に打ち込んだ。ワッグルの本来の機能は、これから打とうとするショットの明確なイメージをゴルファーに抱かせ、始まりつつあるスウィングのフィーリングを感覚的に把握させる役割にある。つまりワッグルは、ゴルファーがこれから始まるフル・スウィングに要求されるリズムとフィーリングに効果的に対応するために必要な、〝ミニ・スウィング〟なのである。

「ホーガンは、これまでのスウィング理論家の誰よりも強く、ワッグルの重要性を強調した」と、ケリー・ミドルコフは語っている。ホーガンが初めてワッグルの重要性に気づいたのは1932年のことだった、とミドルコフは言う。ジョニー・リボルタがワッグルを使ってグリーン周りの短いショットをみごとにさばくのを見て、深い感銘を受けたのだ。ホーガンはそのときに得たアイデアをさらに発展させて、自分の完璧なゲームに取り入れた。

ホーガンが採用したワッグルは彼独自のものだったが、彼はさらに、ワッグルはこれから打とうとするショットのタイプに合わせて変えるべきであると考えた。たとえば、高く上がる柔らかなシ

ワッグルは、バックスウィングの軌道とスピードの〝ミニチュア〟

ワッグルする際、右ヒジは右腰の前部に触れ、左ヒジはすこし回転する

バックスウィングのトップで、アゴは左肩の上部に接触しなければならない

トップでのアゴと肩の位置を、別のアングルから見る

ョットを打つ場合は、ゆっくりしたワッグルが求められる。また、風のなかで力のある低いショットを打とうとするなら、より速くてスナップがよく効いたワッグルが必要だというわけである。しかし、ワッグルはこれから始まるバックスウィングが求める軌跡とスピードの〝ミニチュア〟であるべきだと説く一方で、ホーガンはワッグルとスウィングは一つの重要な点で異質であることを悟っていた。つまりワッグルでは、本来のスウィングに不可欠な肩の動きは必要ないということである。これは、スウィングは連鎖運動であるというホーガンの考え方に関係することだ。バックスウィングでは、まず手が動き、続いて腕、肩、そして下半身の順に動きが連鎖する。この運動の順序は、ダウンスウィングでは逆になる。つまり、下半身、腰、肩、腕、そして手の順序で動いていくのだ。ホーガンに言わせると、この順序こそスウィングにとって最重要の要素であり、これをマスターしたゴルファーは猛烈な力でボールを打つことができるのである。

いったん、バックスウィングで体の各部が正しい順序で動き始めれば、それによって腰が回転し、両手が腰の高さに来るころに左ヒザが内側に絞りこまれる。一方、両肩は可能な限り大きく回転するが、この際、頭の位置は動いてはならない。テキサス州フォートワースでホーガンの模範試合を見た人物に、頭の位置に関して彼が書いた手紙の内容は含蓄に富むものだ。「スウィング中、体の重心は常に一カ所に止まっていなければなりません」とホーガンは書いている。「つまり、もし頭、あるいは鼻から地面に向かって垂直線を引いたとしたら、頭はスウィングが終わるまで、そのポジションに止まっていなければならないのです」。ホーガンは、自著『パワー・ゴルフ』のなかでも、頭の位置に触れている。つまり、「頭は決して動かしてはいけない」と書いているのである。ほとんどのゴルファーはバックスウィングで体を十分に回していない、と彼は指摘する。左腕を折り曲げてクラブをトップの位置まで弱々しく持ち上げるという過ちを犯すから、パワーは失われてしまうと言うのだ。肩の回転が正しくおこなわれている

左ヒザは右方向へわずかに折れる

ホーガンは、クラブを立てかけて右脚の安定度をチェックした

かどうかをチェックするには、バックスウィングのトップで左肩がアゴに触れるかどうかを点検してみることだ。

腰の機能についても、ホーガン一流の理論があった。つまり、肩がワインドアップされるときに腰がその動きに抵抗することによって、最大限のコイルが生まれるというものだ。バックスウィングの初期に腰を回してしまうと、このコイルが失われてしまう。バックスウィングでは、腰と肩の間の筋肉が十分に伸びる感じを味わうことを目標にすべきである。筋肉がこのように捩じれれば、ダウンスウィングはそこまでの動作に対する本能的な反応となるが、そうした動作は腰の切り返しによってリードされる。このような連鎖反応が継続されると、体の筋肉はさらに捩じれ、肩と腕と手はボールに向かって素早く回転し、その結果、みごとなヘッドスピードが生まれるのである。

前述したように、バックスウィングでは左ヒザがすこし右に寄る。同時に左足のつま先もいくぶん右側に回転する。長年にわたって、正しいフットワークはスウィング理論の一つの重要な基盤と考えられてきた。しかしホーガンは、フットワークの重要性は誇張されてはならないという考え方だった。彼は、左足のかかとは地面から１インチ(2.5センチ)以上離れてはならないと考えた。そうでないと、体のバランスが崩れるからである。また、スウェイを防ぐために、右足はアドレスのときとまったく同じ位置に止まるべきだ、とホーガンは考えていた。練習中にこの点をチェックするために、ホーガンはアドレスで右脚の外側にクラブを立てかけた。そして、体を回してバックスウィングのトップに到達するまで、そのクラブがまったく同じ角度を維持しているかどうか調べたのだった。

スウィングの形と腕の動きについて語るとき、ホーガンはスウィングの〝プレーン〟つまり〝平面〟、を引き合いに出して説明した。彼は、スウィングのプレーンは２つあると説いた。つまり、バックスウィングのプレーンとダウンスィングのプ

ホーガンはバックスウィングのプレーンを、〝ボールと肩を結ぶ傾斜面〟と表現した

クラブが正しいプレーン上にあれば、腕を振り下ろすとき上体は下半身と一緒に行動し易い

レーンである。これは、スウィングは基本的に円運動であり、同じプレーン上を行き来するという旧来の考え方から離れたものだった。彼はこの２つのプレーンを、自著『パワー・ゴルフ』で初めて紹介している。クラブはダウンスウィングで〝バックスウィングで描かれたアークの内側〟を走る、とホーガンは書いたのである。

ホーガンはバックスウィングのプレーンを、アドレスでボールから肩をとおして描かれた直線が作る傾斜角と見た。そして、左の前腕がスウィング全体の動きの〝案内役〟を務めることになり、肩も腕も手もクラブも、すべてこの平面上で回転すべきであり、この面から逸脱してはならないというのがホーガンの考え方である。想像上のこの軌跡に従えば、トップに届いた上体と腕は、下半身と協調してダウンスウィングを始めることができる。その結果、無駄な動作をせずに最大限のパワーと正確性を生むことが可能になるのである。

もし、あるゴルファーがこのプレーンを心眼で見ることができれば、反復可能なスウィングを体得する可能性はそれだけ高まる、とホーガンは言う。彼がスウィング・プレーンに関して抱いた視覚的なイメージは、ボールの置かれた地点と、アドレスの姿勢を取ったゴルファーの肩を支点にして、一枚の大型のガラスのパネルが置かれており、そのガラス板に穿《うが》たれた穴からゴルファーが頭を外につき出している姿だった。正しいバックスウィングをおこなうためにゴルファーは、腕を腰の高さに近づいた時点ばかりでなく、トップまでいった段階でも、そのガラス板（つまり〝スウィング・プレーン〟）に対して平行に保っておかなければ

ベン・ホーガンがイメージした自分のスウィング・プレーン

ばならない。肩がガラス板と同じ角度で回転した場合に、両腕はこのようなポジションになる。トップの位置でも、左腕はまだガラス板に対して平行でなければならないのである。バックスウィングは正しいプレーンよりいくぶんフラットであっても構わないが、アップライトになって、その面から上に突き出してはならない。これでは、イメージ上のガラス板は砕けてしまうからだ。正しいプレーンからはみ出してバックスウィングすると、今度はダウンスウィングでガラスを突き破らないための調整が必要になる。つまり、プレーンのはるか外側でスウィングするか、そうでなければ正しい軌道でボールをとらえるために、下りてくるクラブを軌道修正することが必要になるわけである。こうした修正はミスショットとショットの全体的なばらつきの原因になる。ホーガンは、自分にとって最適のプレーンと考える軌道でクラブをトップまで振る方法を理解したときから、ショットのばらつきの問題を解決したのだった。何千個ものボールを打ち、鏡の前で気が遠くなるほど長い時間を費してこの動作を反復練習し、体に覚えこませることによって、ホーガンは自分のスウィングとボールをコントロールする能力に、完全に自信を持ったのである。こうした努力の結果は、彼が一貫してロー・スコアを出したことに余すことなく現れたのだった。

私の見解

正しいセットアップとアドレスは正しいバックスウィングの基盤になり、正しいバックスウィングは正しいダウンスウィングを作る、というホーガンの見方は健全である。ホーガンの周到な思考を典型的に示すこの考え方にしたがっている限り、間違いは起こらない。

生涯を通して完璧なゴルフを探求するなかでホーガンは、ゴルファーが永遠の挑戦とみなすテーマの一つをとことんまで研究したのだった。その挑戦とはつまり、止まっているボールを打つことである。ゴルフには、スウィングを始めるきっかけとなる動きをゴルファーに起こさせる、外的なキッカケがない。だからゴルファーは、自分から行動を起こす方法を見つけなければならないのだ。ゴルフは、ピッチャーの投球にバッターが反応する野球とも、レシーブする人間がボールに対して反応するテニスとも異なる。ゴルフでは、静止しているボールを打つ体勢を整える際に、プレーヤーが混乱してしまう場合があり、考え過ぎることによって自滅し、正しくスウィングするチャンスが損なわれてしまうことが、ままあるのだ。

だからこそ、セットアップからスウィングに移るための〝架け橋〟が必要なのである。ホーガンは、研究と練習をとおしてその〝架け橋〟を発見することによって、静止したボールが突きつける挑戦に応えた。ワッグルこそ、その答えだったのである。

わたしは、ホーガンがこれほどまでにワッグルを重視したのは素晴らしいことだったと思う。大半のゴルファーは、ワッグルを十分に評価していない。ホーガンはしっかりとした目的のためにワッグルをおこなった。ワッグルは反復可能なスウィングを作り上げ、維持してゆくことを可能にする重要な要素なのである。ホーガンのワッグルは、基本的にはフェースをオープンにすることを試みたフル・スウィングのミニチュア版であり、特にバックスウィングでフェースを回してオープンにすることを意図したワッグルであったことは、一目瞭然だった。ホーガンの場合と同じように、ワッグルはあらゆるゴルファーのプレーの一部をなすべき重要な要素なのである。

アマチュア・ゴルファーは……そして、ときにはプロ・ゴルファーでさえも……アドレスで考え過ぎてすっかり混乱してしまい、その結果、筋肉を緊張させ、場合によっては体を凍りついたように硬直させてしまうことがある。スウィングでおこなうべきポイントをあまりにも多く考えるか、ひどいミス・ショットのイメージにとらわれてしまうことが多い。その結果、スウィングを始めるときになによりも大切な、体の各部の連鎖運動のリズムと流れを失ってしまうのだ。スウィングに見られる問題の大半は、しょせん誤ったアドレスか、スウィング開始時の体の動きに起因する。ワッグルは静止した状態のアドレスに動きとリズムを与え、スウィングをショット毎に毎回同じ動きから始めることを可能にする。それはまた、緊張をほぐす役割も果たす。要するにワッグルは、スウィングの出発点となるこの重要な時間帯において、破壊的ではなく生産的な〝ゴルフ・マインド〟を養う手助けをしてくれるのである。

しかし、この生産的なゴルフ・マインドも、間違ったスウィングを決して補ってはくれない。安定したショットは、あくまでも力学的に正しいスウィングから生まれる。ホーガンが、意識的にだったか本能的にだったかは別にして、スウィングのバイオメカニックスを承知していたことは明らかだった。エネルギーとパワーを生むための、体の各部……特に手、腕、肩、そして腰……がスウィングのなかで順序よく動く際のメカニックスの仕組みについて、彼は鋭く認識していた。このパワ

右ヒジの絞り方を研究するホーガン

若いころのホーガンはバックスウィングで下半身を激しく使い、トップの位置は高かった

ホーガンのスウィングは、最終的には彼のトレードマークとして知られることになった、フラットなプレーンに落ち着いた

ーを爆発させる際には、ゴルファーはまず体を回転させ、筋肉を十分に伸ばし、バックスウィングで捩じ上げることによってコイルを作り、溜まったエネルギーをダウンスウィングでリリースしなければならない。ホーガンは体が柔軟だったから、スウィングの途中で頭をほとんど完全に静止させたまま、これらの動作をおこなうことができた。しかし、それは大半のゴルファーには無理である。彼は腰で壁を作りながら、肩を十分に回すことで凄まじいトルクを作ることができた。しかも右ヒジを胴体に引きつけた、かなりフラットなプレーン上でスウィングしながら、それができたのである。わたしの考えでは、ホーガン並みの柔軟性、あるいは体の動きの幅に恵まれていないゴルファーが、頭を完全に静止させ、右ヒジを胴体に引きつけ、あれほどまでにフラットなプレーンの上で

若いころのホーガンのスウィングは大きかった

後年のホーガンのスウィングは、より小さくコンパクトになった

スウィングの練習をしたら、安定したショットを打つために求められるトルクを作ることは、まず無理だろう。それもそのはずである。ホーガンのスウィングは、彼自身の体軀、体の柔軟性、そして彼特有の動作のパターンにマッチしていたからだ。彼の動作をそっくりそのまま真似しようとすることは、ほかのプレーヤーにとってはおそらく自縄自縛になってしまうことだろう。

若いころのホーガンは、バックスウィングが非常に大きく(特にウッドの場合)、左足と左ヒザの活発な動きに合わせて腰を大きく回し、肩を十分に回転させてかなり高いフィニッシュを取っていた。当時の彼のスウィングは、後年に比べて確実にアップライトだった。体の柔軟性と弾力性に富むホーガンだからこそ、このようなスウィングが簡単にできたのである。第二次世界大戦が終わって陸軍を退役したのち、彼はテクニックの向上に真剣に取り組んだ。第一のゴールは、若いころに彼の優勝を阻んだあのひどいフックをなくすことだった。1949年に自動車事故に遭うまでに優れたプレーをするようになっていたが、ホーガンはまだ、定期的に頭をもたげ、いくつかのトーナメントでの優勝をふいにしたフックが出ることを、相変わらず心配していたのである。

信じられないようなことだが、49年に一命に関わるような自動車事故に遭ったにもかかわらず、ホーガンは復帰後に最高のゴルフを演じて見せた。1950年から53年までに、彼はメジャー大会に9回出場して6勝している。53年にはマスターズ選手権、全米オープン選手権、そして全英オープン選手権に勝っているが、これは今日考えても驚くべきことである。(当時はマッチプレーだった)全米プロ・ゴルフ選手権は全英オープンの1週間前に開催されることになっていたため、ホーガンは出場できなかった。事実、決勝マッチプレーは、全英オープン開催の前日におこなわれている。当時のこうした競技スケジュールのせいで、1953年には4大メジャーのすべてを制覇することは、いかなるゴルファーにとっても不可能なことだったから、実際にグランドスラムを達成することは、夢のまた夢だったのである。

ホーガンのスウィングを研究して来て、わたしはつぎのような考えに至った。つまり、第二次世界大戦が終了した1945年から50年代の初期までに、彼のスウィングには一連の変化が窺えるが、もっとも顕著な変化はバックスウィングが以前に比べてコンパクトになっているということだ。こうした変化は、さまざまな理由があって生じたのだろう。フックを直すためにグリップを変えたことに合わせて、彼はスウィングの技術面でいくつかの変化を取り入れている。自動車事故と、たぶん、すこしばかり歳を取ったことが背景にあったのだろう。だが、これらの変化は彼のスウィングに磨きをかけたのである。ミス・ショットの原因が少なくなり、その結果、彼が魂と情熱を込めて探求し続けたショットの信頼性と安定性、そしてコントロールはいよいよ完成に近づき始めたのだった。

事故のあと、ホーガンのスウィングは、常に彼を連想させるあの平らなプレーンで独特な様相を呈することになる。ホーガンは、彼の時代の有名選手のなかで、サム・スニード、バイロン・ネルソン、ジミー・ディマレットらを含む当時の一流プレーヤーのアップライトなスタイルと訣別した最初のプレーヤーだ。ホーガンは数年にわたって、彼の世代のすべてのゴルファーが自分の例に倣うことを奨励した。彼は文句なしに彼の時代でもっとも影響力のあるゴルファーだった。したがって、そのころ、至るところでフラット気味なプレーンでクラブを振る一般的な傾向が見られたことは、驚くに当たらない。その後1960年代に入ると新しい英雄、ジャック・ニクラスが登場し、彼の影響で多くのゴルファーがよりアップライトにクラブを振るようになる。

ホーガンのスウィングには、もう一つの興味深い特徴がある。特に彼のバックスウィングにそれ

ホーガンは〝逆ピボット〞だった！

が見られる。それは、技術的に言えば〝逆ピボット〞と称されたかもしれない。ゴルファーがバックスウィングのトップで体重を体の右サイドに十分にかけない場合、逆ピボットの状態が起こるのである。これによって、体がいくらかターゲットの方向に傾斜して見える状況が発生するが、これはつまり体重が体の左サイドに残ることを意味する。ホーガンの場合、そのように見えるのである。しかしながら、彼はバックスウィングで体のコイルとストレッチを十分におこなっていたため、このような状態による影響はあったとしても微々たるものだった。また彼の場合は、バックスウィングにおける体重の移動は不要だったのである。彼の上体はトップでボールの真正面にあり、腰はターゲット方向に傾斜しているように見えた（極端な逆ピボットの癖のあるハイ・ハンディのゴルファーの場合は、しばしば腰も肩もターゲット方向に傾斜する）。

トップにおけるホーガンのこのような上体の位置は、さまざまな要因の複合的な結果である。つまり、平らなスウィング・プレーン、胴体に引きつけた右ヒジ、どこまでも静止した頭などがそれだが、（写真撮影のためではなくて）実際にボール

ホセ・マリア・オラサバル：トップで体重を左サイドに残す、世界のトップププレーヤーの一人。下半身がターゲットの方向にせり出している

大半のプレーヤーは、トップで体重を体の右サイドに移し、体をボールの後ろに持っていくことを必要とする

を打つ際には、彼の左ヒザはボールの後方に残らず、むしろボールに向かって突き出ていたことも、もう一つの要因だ。いまのプレーヤーの多くも、トップにおける体の位置はボールのかなり正面であり、全体重を体の右サイドにかけることは少ない。1999年度マスターズ選手権の覇者、ホセ・マリア・オラサバルがその好例だ。しかし大半のプレーヤーにとって、逆ピボットは怪我が多い。わたしは、体重を積極的に体の右サイドに〝積み上げる〟ことによって、コイルの過程を強化することがより望ましいと思う。体をボールの〝後ろ〟に残して打つ感じがほしい長いクラブの場合に、特にそれが言える。バックスウィングのトップで体（つまり腰または肩）をターゲットの方向に傾けたり、あるいは体重のかなりの部分を体の左サイドに残したりすれば、ハイ・ハンディのゴルファーの場合は弱々しくてぎこちないスウィングを生み、それよりレベルの高いプレーヤーの場合は、なんらかの形でスウィングを修正することが必要になる。問題は、特に逆ピボットの場合、ダウンスウィングでゴルファーの体重が、スウィングのトップの位置から本来の方向とは反対側……つまり、クラブがインパクトに近づくとき、左サイドへではなくて右サイド……へ動いてしまうことだ。

極端な逆ピボットの場合、クラブをリリースするタイミングが早くなり過ぎるため、ボールを叩く前にパワーが失われてしまう。インパクトでクラブは減速するが、これは明らかにゴルファーの意図に反する。一方、テークバックで体重を十分に右サイドに〝積み上げ〟れば、ダウンスウィングで体重を左サイドに戻すことが可能になり、その結果、インパクトでクラブヘッドを十分に加速させながらリリースできるのである。ホーガンは優れた体力と運動神経のおかげで、このように技術的な欠陥と呼べるような癖があったにもかかわらず、クラブをダイナミックに反復して振る方法を発見したのである。

彼の逆ピボットは、実際にはダウンスウィングをさらに力強くしたが、この点に関しては次章でさらに詳しく検証しよう。このことは、あるゴルファーに合ったスウィングは必ずしもべつのゴルファーにマッチするとは限らず、ゴルファーはあるプレーヤーのスウィングを細部まですべて、あるいは全体的な形すら真似するのはほとんどの場合は避けるべきだということを示すものだ。なぜなら、これらの要素は実際にはスウィングの細部あるいは全体の形以上のことを意味するからである。つまり、それは個々のプレーヤーのユニークな特性と動作を反映するものであり、これが特定のプレーヤー以外の人間に応用し得ると考えるのは、もしかしたら大変な間違いかもしれないのだ。

ゴルフのインストラクションの年代記のなかでもっとも印象的なイメージは、ホーガンがガラス板に穿《うが》たれた穴から頭を出してアドレスの姿勢を取っている姿である。スウィング・プレーンについてホーガンが語ったことは、ゴルフのインストラクションにおいて40年にわたって主要な役割を演じてきた。要するにホーガンは、スウィングを観察するための新しい観点を紹介したのである。今日のインストラクターは、誰でもスウィング・プレーンについて語る。このテーマを無視することは考えられないことなのである。

しかしながら、スウィングの安定性を左右する多くの異なったプレーンがあるため、スウィング・プレーンについての討議はときにはわかりにくいものになる。シャフト、クラブフェース、腕、そして肩には、それぞれのプレーンがあるからだ。ホーガンは、両肩と左腕とクラブが、すべて同じプレーン上で動くことに焦点を絞ったが、これは純粋な〝ホーガニズム〟というべき考え方だ。

ここで記憶しておいていただきたいのは、ホーガンは背筋を伸ばした姿勢で、腰を支点とした体の前傾をほとんどおこなわずに立ったため、非常に水平なプレーンで肩を回すセットアップになっていたという点だ。彼のスウィングがフラットに見えたのは、このようなセットアップによるところが大きいのである。ホーガンのこのアドレスは、確かに彼独特のプレーン形成のきっかけとなったが、彼がバックスウィングで左前腕を時計の針の方向に回したことも、彼のスウィング・プレーンに同じような影響を及ぼしたのだった。彼は両肩と左腕をトップで互いに平行になるように回した。彼の左腕の延長線は、トップで両肩を結んだ線に対して平行になっていたのである。前腕の回転は非常に微妙な動きであり、カメラを使っても簡単にとらえることは難しい。ホーガンはこの点について自著でなにも述べていないが、その理由はわたしたちにはわからない。しかしながら、1985年にアメリカの「ゴルフ・ダイジェスト」誌に掲載された記事のなかで、彼は左腕の回転について、「バックスウィングでわたしは左腕を胸の正面で回した」と語っている。そのあと彼は、この点についてさらにこう付言している。「肝心なのは、クラブを左腕で回すことだ」と。この左腕の回転運動が、ホーガンのバックスウィングにおいて極めて重要な要素だったことは明らかである。しかし同時に、ウィーク・グリップを採用した、より平らでコンパクトなバックスウィングをおこなっても、ホーガンのフックの悩みは相変わらず完全には解消しなかったのである。

ホーガンの〝秘訣〟

フラットなスウィングでは、クラブはボールに近づく際にインサイド・アウトの、バックスウィングよりもさらに平らなプレーン上を走るため、フックが出る可能性は増大する。これはホーガンの場合に顕著だった。なぜなら、彼が実際にスウィングしたときは（カメラの前でポーズを取った

ホーガンのフラットなトップの体勢は、フックが出る可能性を増した

ときはそれほどでもなかった)、トップの位置でクラブがターゲットの左を指していることが明らかだったからである。このトップの形だと、ダウンスウィングを始める際に下半身を激しく使う上級プレーヤーの場合に、特にインサイド・アウトのスウィングになりやすい。ホーガンのバックスウィングは(多くのプレーヤーの場合と同じように)歳を取るとともに小さくなったが、トップでクラブがフラットになった状態でターゲットの左を指す傾向は、さらに強まったのだった。

だがスウィングを変え、ウィーク・グリップを採用したにもかかわらず、ホーガンのバックスウィングは、ダウンスウィングの早さとレート・ヒッティング(クラブ・ヘッドが手より遅れて走ること)が相俟って、まだときどき強烈なフックを生んだ。彼はこの問題に対する対応策を懸命に探ったが、「ライフ」誌の1955年8月8日号にこう書いている。「わたしは低く飛び出す凄まじいダック・フックに苦しめられた。その曲線は、コートのハンガー並みだった。わたしがそんなショットをラフに打ち込むと、野ネズミたちが恐怖に陥ったものである」。しかしホーガンは、この深刻な〝フック病〟にじっと堪え、ついに対応策を編み出すことによって、みごとにフックを克服した。それこそ、彼の〝秘訣〟だったのである。

では、前述のライフ誌の記事で、ホーガンが期待に湧くゴルフ界に最終的に紹介したその〝秘訣〟とは、いったいどのようなものだったのだろうか。ことの成り行きは以下のとおりである。

ツアーで各地を転戦する間に解決策を見出せないことに挫折を感じたホーガンは、荷造りをして自宅に戻った。そこで彼は、数日間他人をシャットアウトして熟考し、アイデアを模索した。熟慮し、懸命に知恵を絞ったあとで、彼は突然〝それ〟に思い当たった。〝それ〟とは、じつは古い時代のスコットランドのプロ・ゴルファーたちが使っていたフック病の〝妙薬〟だった。この発見と、それが約束してくれることの可能性に気がついて飛び上がらんばかりに狂喜したホーガンは、さっそくボールを打ちに出かけた。結果は思ったとおりだった。柔らかい、まるで鳥の羽が空中を漂うようなフェード・ボールが出ることを知って、彼は本能的にこれだ!と思った。この瞬間にホーガンは、フックの解消法を見つけたのである。今度はいくら強く叩いても、ボールは左にいかなかった。「強く叩けば叩くほどうまくいったし、飛距離はまったく落ちなかった」とホーガンは述べている。彼はついに、自分が本当に開眼したことを悟ったのである。

わたしはホーガンのこの〝秘訣〟を、つぎのように解釈している。つまり、ウィーク・グリップに加えて、ホーガンはバックスウィングのトップで左手首に〝カップ〟(「窪み」)を作ること(左

ホーガンの〝秘訣〟：トップで左手首をカッピングして、クラブフェースのトゥをオープンのポジションにして下に向ける。その結果、フックは消え、フェードしか出ないようになった

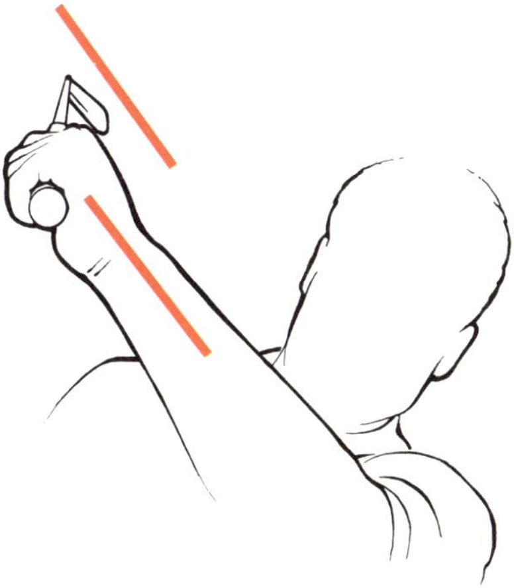

ホーガンが自然に達成したトップの位置。左手首は平らで、クラブフェースはスクエア（手首と前腕と平行）である

手首を少し手の甲側にコックするこの動作を〝カッピング〟と言う）に集中したのである。ホーガンの左手首の〝カッピング〟は、55年８月８日号の「タイム」誌の表紙の写真に写っている。左腕を時計の針の方向へ回転させることに加えて、左手首をバックスウィングのトップでカッピングすると、結果的に手首の本格的な〝内転〟運動（内側に回る動き）が起こって、クラブのトゥはさらに地面の方向を向き、フェースの角度は非常にオープンになる。スクエアなポジションならばクラブフェースはより空を向くのとは対照的だ。トップにおけるこのオープンのポジションからは、どれほど激しく体の左サイドを回しても、あるいはダウンスウィングでフェースをどれほどシャットにしようとしても、インパクトでフェースをシャットにすることは避けられたのだった（普通はそうすれば、クラブヘッドがボールに当たるまでに、フェースは過度にシャットになってしまう）。

ついにホーガンは、長年探し求めていたものを見つけたのである。だが、彼はこうして発見した〝秘訣〟に関して10年近くも、なぜ沈黙を守っていたのだろうか。答えは簡単だ。じつは、彼自身が率直にこう述べている。「わたしの本格的な競技生活はもう終わった。1955年度全米オープンに備えて、わたしは一生のうちに戦ったどのトーナメントよりも特に激しく練習した。だから、そろそろ自分の〝秘訣〟を披露してもよいころだと感じたのだ」。クラブフェースをオープンに保っておくことで、彼はいまやボールをどれほど強く叩いても、インパクトでヘッドがどれほど浅く入っても、左から右へ飛ぶ軌道で柔らかく着地する安定したショットが確実に打てるようになった。

トップにおける手首のカッピングは、自分がことさら意識的におこなってきた動作の一つだ、と彼は語っている。ドローを打つ際には、ホーガンはこのカッピングを忘れて普通にスウィングするだけでよかった。この場合、左手首をカッピングせずに比較的平らに保ち、クラブフェースをよりスクエア（手首と前腕に対して平行になる程度）にしたのである。このポジションだと、ボールは右から左へ飛んだ。ホーガンの秘訣が、長続きする優れたプレーへの扉を開いてくれるかもしれないと考えて辛抱強く待った世界中の何百万人もの

左腕と肩の線が互いに平行なホーガンのトップ

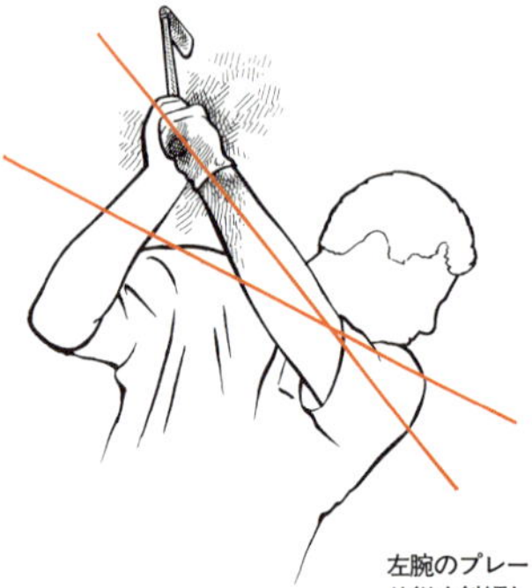

左腕のプレーンが肩のプレーンより鋭く斜傾したトップ

サム・スニードは、斜めに置かれた巨大な車輪をイメージした

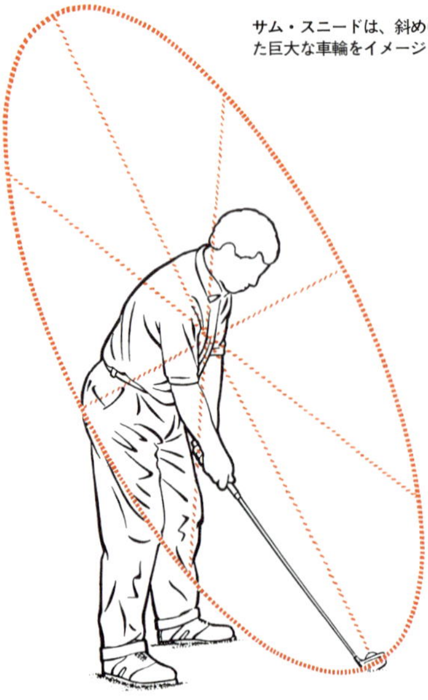

ゴルファーは、たぶん失望したことだろう。しかし、ライフ誌のこの記事のなかには、じつはもう一つの〝秘訣〟が語られているのである。

記事の終わりのほうでホーガンは、こう書いている。「これがサンデー・ゴルファーに少しでも役に立つかどうかわたしにはわからない。むしろ、下手なゴルファーを目茶目茶にしてしまうことだろう……。バックスウィングのトップでこれほどオープンなクラブフェースを、ダウンスウィングで正しくシャットにすることができない者はすべて、プッシュ・ボールを打つか、さらに悪いことには、ひどいシャンクでボールを直角に押し出してしまうだろう。しかしこの秘訣は、腕のよいゴルファーにとっては神の恵みなのである」。おそらくこれこそ、本当に重要な秘訣だったのだろう。つまり、上級者だけがこれを試してみるべきであり、その他のゴルファーは全員これを無視すべきだということである。

左手首を内転させつつ〝カッピング〟してクラブフェースをさらにオープンにするホーガンの秘訣は、高いフック・ボールを打つことによって、ボールを右ラフに打ち込まないようにするためにはなんでもやろうとする世界中の〝スライス人口〟には、完全に壊滅的な効果をもたらす。つまり、スライス癖のあるゴルファーは、ホーガンの秘策を応用することによって、問題をさらに悪化させることにしかならないのである。おそらくこれが、ホーガンが『モダン・ゴルフ』のなかでは自分の〝秘訣〟について敢えて詳しく触れなかった理由だろう。しかしながら、それでも「ライフ」誌でこの〝秘訣〟について読んだ人々は、躍起になってそれを身に付けようとしたのだった。わたしはホーガンが披露するや否やこの秘訣を試しはしたものの、結果的に挫折感しか味わえなかったゴルファーに何人も会っている。

ここで、スウィング・プレーンとガラス板に戻って考えることにしよう。ホーガンが想定したガラス板の角度でスウィングすれば、肩と腕は平行なプレーン上を動き、両方ともガラスに接触した。しかしわたしは、ほとんどのプレーヤーは（長身だったり、体の柔軟性に限度のある場合は特に）、ホーガンが主張するように左腕と肩を平行に動かすのではなく、腕のプレーンを肩のそれよりもいくらか余分に傾斜させる……つまり、アップライトにする……ほうが効果は大きいと考えている。そうすれば、見た目にも窮屈でない（それに、トップでクラブがよりオン・ラインで、ターゲットを指すことにもなる）。このポジションだと懐ろが深くなり、インパクトに向かって腕を下に振っていく際に、体は腕の動きを邪魔しない。しかしそれでもこのガラス板は、スウィング全体として傾斜した形と（垂直でも水平でもなく、その中間の）角度のイメージを提供してくれるし、サム・スニードがスウィングについて語るときに使う、斜めに置いた車輪のイラストとかなり似通っているのである。

わたしの経験から言うと、大半のゴルファーにとって、スウィング・プレーンとは肩に立てかけたガラスのパネルではなく、むしろアドレスの位置におけるクラブのシャフトの延長線と見なすほうが、理解しやすいようだ。わたしの生徒たちにとっても、このイメージのほうがわかりやすい。アドレスにおけるクラブのこの延長線を参考にして、インパクトでシャフトをこの線と同じような、あるいはこの線にぴたりと合ったプレーンに戻すように努めると、よい効果が生まれる。これが安定してできるようになれば、やり方はどうであっても構わない。一つ付言しておきたいのは、スニードはスウィングではただ一つのことだけ考えればよい、としばしばゴルファーに助言しているということだ。つまり、インパクトではすべてをアドレスの状態に戻せ、ということである。わたしは長年にわたって、アドレス時のシャフトの角度よりわずかに傾斜のある、つまりいくぶんアップライトなバックスウィングのプレーンでクラブを振るように生徒たちを指導することによって、クラブをインパクトで正しいスロットに戻す練習面で大きな成果を上げてきた。アドレス時より少し傾斜の強いバックスウィングのプレーンで、ダイナミックなボディ・モーションを使ってスウィングできるゴルファーは、ダウンスウィングを始めたらクラブを少しフラットにするだけで、正しいプレーンに簡単に戻れるだろう。また、切り返しでクラブの動く方向が変わると、今度は重力が一定の役割を果たす。つまり、クラブはダウンスイングでアドレス時よりはすこし険しい……いくぶんアップライトなプレーンを走り、重力の働きのおかげで、よりフラットなプレーンに自然に収まるのである。プレーヤーによっては、クラブヘッドが切り返しの時点で体の内側に向かってループ（輪）を描くのを感じることがあるかもしれない。これはダウンスウィングでクラブが体の外側からアウトサイドインの急勾配で下りて来るループ……つまり、下手なゴルファーの象徴……よりはるかに望ましい。

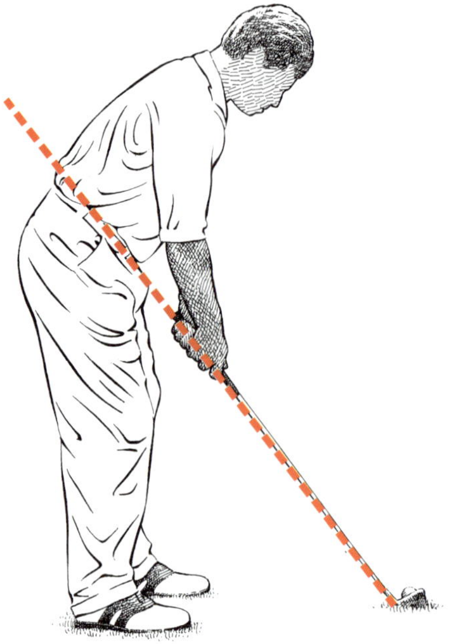

プレーンとは、アドレス時のシャフトの延長線を想定したもの

バックスウィングの中間点で、元のプレーンより傾斜の強いシャフト角度

いくらか急勾配のプレーンからよりフラットなプレーンに向かう、このようなクラブの動きは、大半のゴルファーにとって効果がある。バックスウィングとダウンスウィングで、クラブを同一のプレーン上を走らせることに比べて、このほうが易しいからである。わたしたちは生身のゴルファーだから、腕の代わりに一本のレバーが固定軸に装着されたクラブ検査機のように毎回同じスウィングで、同じ球筋のショットを放つことは無理だ。人間であることと、体の動くすべての部分と関節を考慮した場合、エラーのマージンを少し用意しておくのは賢明なことだ。だからわたしは、ダウンスウィングで勾配の急なプレーンからフラットなプレーンに移る方式を好む。こうしたわたしの考え方は、ホーガンの説を大きく逸脱するものではないが、それから転じたものであることは確かだ。なお、ホーガン自身は、ダウンスウィングのプレーンをフラットにする重要性を説いているが、実際にはバックスウィングもダウンスウィングも、ほとんど同一のプレーン上でスウィングしていたと言えるのである。しかし、同じプレーン上でスウィングすることは、易しいようでいてじつは多くのプレーヤーにとって難しい。ちなみにツアー・プレーヤーの大半は、トップまではアップライトで、ダウンスウィングでよりフラットになるプレーンで、スウィングしている。

あらゆるスウィングには、程度こそ異なりはするものの、クラブが内側、曲線状、あるいは上に向かう動きが見られる。ゴルファーは自分のクラブのこのような動きについて知っておくべきである。スウィング中にこうしたクラブの異なった動きが見られるのは、ゴルファーがクラブを斜めに持ってボールの脇に立ち、それを楕円形の軌道で振るからである。ゴルフは、事実上は平らなプレーンでスウィングする野球とは違うのである。

ゴルフのスウィングに見られる動きはより複雑

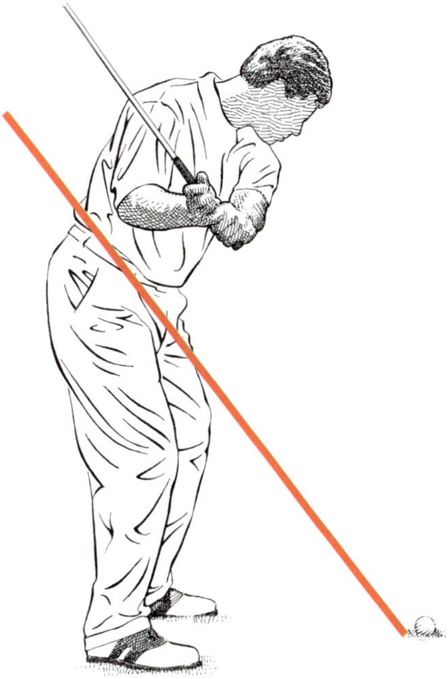

ダウンスウィングの途中でシャフトは徐々にフラットになり、元のプレーンと平行の線上に戻る

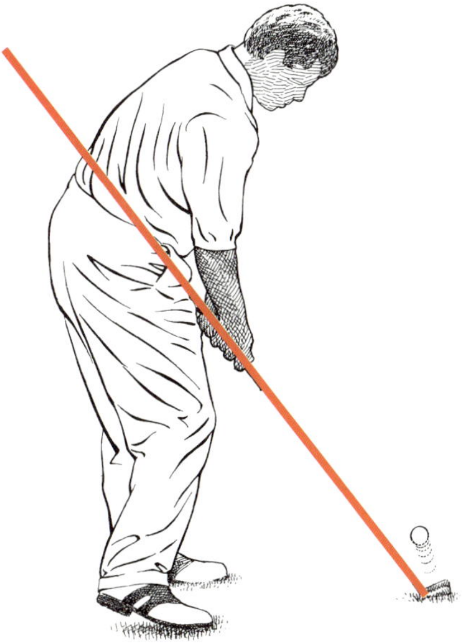

シャフトはインパクトで同じプレーンに戻る

で、限りなく異なったプレーンがある。だから、スウィング・プレーンについてどのように説明しても、ある程度の混乱が生ずることは避けられないだろう。なかでももっとも重要なのが、インパクトに向かうプレーンである。多くの上級者は、バックスウィングのプレーンが極端にアップライトあるいはフラットでも、瞬間的な調整、あるいは日ごろの練習のおかげで、ダウンスウィングで正しいプレーンに入ることができる。

スウィング・プレーンには、同じレベルのゴルファーの間でも個人差がある。長身のゴルファーのなかにもフラット気味なスウィングをする者はいるし、背の低いゴルファーのなかにもアップライトに振る者がいる。技術的に欠陥があると見られるプレーンがよい結果を生むケースがあるため、ある特定のプレーンが必ずしも別のプレーンより優れているとは、一概には言えないのである。

ホーガン自身は、プレーンはゴルファーの体軀によって異なると述べている。彼はフラットなプレーンでバックスウィングし、ほぼ同じ軌跡を逆方向にたどるプレーンでダウンスウィングをおこなった。スウィングのその他の側面の解説ですでに指摘したように、どのようなバックスウィングのプレーンを選ぶにしても、毎回それを必ず同じ軌道とリズムで反復して実行できるようにすることが重要なのである。スウィングは連鎖反応であり、ダウンスウィングの質は、ゴルファーが毎回同じバックスウィングをどの程度確実に反復することができるか否かによって決まるのである。

現在のバックスウィングが自分に合っているかどうかは、ボールのとらえ方によって証明される。ジョニー・ミラーは、ゴルファーのスウィングの質を決める究極の証しはボールの〝飛び方〟だと言っている。つまり、ゴルファーが意図したショットの方向性、弾道、そして形の３要素によって決まるというものだが、わたしはこの意見に全面的に賛成である。

80を切るか、それ以下のスコアを出すために

ホーガンは、バックスウィングの初期の段階で手に始まって、腕、肩、腰の順におこなわれる連鎖運動に焦点を当てた。クラブがボールから遠のいていく段階での体の動きは、当然重要である。この連鎖運動を損ない、問題を際限なく発生させる原因は山ほどある。いくつか例を挙げてみよう。腰の回転が早過ぎたり、バックスウィングで肩や胸と連動させずに手だけでクラブを持ち上げたりした場合がそれだ。また、胴体の動きを抑えて、手と腕だけでクラブを持ち上げる場合もそうだし、悪例は枚挙に暇がない。このように単独で連鎖性のない動きは、スウィングのリズムとタイミングを損ない、その結果、パワーも正確性も失われてしまう。すべてのゴルファーはスウィングを作る際に、スウィングには「体の回転」と「腕の振り」という2つの基本的な構成要素が含まれることを理解することが肝要だ。これら2要素がうまく噛み合ったときに、よいリズムが生まれるのだ。他人の優れたスウィングを観察すれば、このリズムを感じ、その流れを見ることができる。ホーガンは、フル・スウィングでは体が腕と手を運ぶのであって、腕と手が体を運ぶのではないという点を指摘しているが、わたしはこれを、「イヌが尻尾を振る」と表現している。これこそ、われわれがよく聞く〝手は受け身でなくてはならない〟という表現の意味するところなのだ。しかし、〝受け身〟の手は、〝死んだ〟手を意味するものではない。これは単に、手はパワーを体からクラブヘッドに送り込む役割を果たすが、それ自体はパワーの源泉

ここに示すドリルで、バックスウィングにおける体の正しい動かし方が理解できるだろう

ではないことを意味するだけのことなのである。

体の正しい動かし方を知るために、ドリルを一つお勧めする。まず、クラブを持ってアドレスの姿勢を取る。つぎにクラブを手から離し、胴体の中央部で腕を組む。下半身を安定させた状態で、足、ヒザ、腰を過度に使わずに、体を動かして右サイドに回転させる。左肩が〝まず下に、つぎに後ろに、そしてさらに回っていく〟のを感じること。つまり、ホーガンが言う〝アゴが左肩に擦れる〟状態を感じるのだ。両肩は背骨に対して90度の角度を保って回す。肩を一目見てわかるほど傾斜させたり上げたりしない。ホーガンのフラットなスウィングは、かなり水平だった彼の肩の回転がなせる業だったが、同時に彼は、直立状態の背骨に対して両肩を直角にして回したのだった。体の柔軟性に応じて左ヒザを少し内側に寄せることは結構だし、左かかとを少し上げることも問題ない。しかしトップで両ヒザの間に適当な間隔を保つこと。それによって、体をワインドアップするため

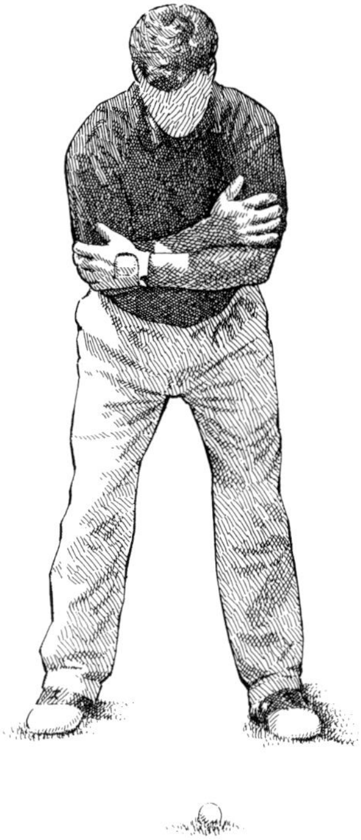

の安定した土台ができるからである。体の動きを支配するのは右ヒザの位置であると、しっかり覚えておいてほしい。トップにおける右ヒザの位置は、アドレス時と同じである。右ヒザは少し曲げて弾力性を保つと同時に、安定性を維持することだ。

ホーガンも言っているように、こうすれば腰の動きを意識的に遅くしたり、あるいはべつの形で〝抑制〟したりしなくても、体を正しくワインドアップできるだろう。わたしはむしろ、下半身を安定させ、バックスウィングのトップで上体がよくコイルした状態を作るためのカギとして、ゴルファーにヒザの間隔を保つことと右ヒザを安定させることの２点に焦点を当ててほしいと考えている。わたしは肩を十分に回そうとするのと同時に腰の回転を抑制することは、事実上不可能だし、非常にやりにくいことだと思う。しょせん、腰と肩は同時に動く関係にあり、このような芸当は体の非常に柔らかな人間以外にはできないだろう。ホーガンの体は確かに柔軟だったが、写真を見ると彼が自分で言うより腰をはるかに大きく回していたことがはっきりわかる。昔から言われてきた、「肩の回転は90度前後、腰の回転は45度前後」の目安は、いまでも従うべきルールなのである。

さて、ここでわたしが〝頭部固定症候群〟と呼ぶ症状について考察してみよう。長いクラブの場合は特にそうだが、バックスウィングで体を回すときに頭を少し水平に動かしたほうがよい結果が出る、とわたしは思う。このような頭の動きは、トップで体重を体の右サイド、つまりボールの後ろに十分に溜めた体勢を作る際に、大いにプラスになる。体をあまりボールの正面に残すと、ホーガンの場合にすでに見てきたとおり、逆ピボットになる可能性が生ずる。さらに理想的なポジションは、(ヘソから肩にかけての)胴体の完全なワインドアップに組み込まれた、体の十分なコイルで

この筋肉収縮ドリルで、バックスウィングのトップで筋肉を使う範囲、そして筋肉のコイルと伸長の程度が理解できるだろう

グリップエンドが初めに動き出すのを感じるべきだ

ある。頭をすこしだけ動かすと、コイルがし易くなる。アゴを右に回転させれば、頭はその分だけ楽に動くようになる。バックスウィングのトップにおけるチェック・ポイントとして、胸のボタンが右脚の真上に、そして左肩が左腰より右の位置に来ているかどうか確認すること。アゴが回り、その結果バックスウィングで（特にドライバーの場合に）頭が１インチか２インチ（2.5センチから５センチ）ほど動いてもまったく問題ない。このような動きは体の完全な回転を助け、さらに多くの体重を体の右サイドにかけることを必要とするシニア・ゴルファーや、その他のあらゆるゴルファーの役に立つ。もう一つ、この頭の動きの感じ方について付言しておく。つまり、スウィングのトップの位置で、ボールを左目で見る感じをつかむのである。ここで覚えておいてほしいのは、右ヒザが安定していればスウェイの問題は起こらないということだ。

腕を組んでおこなうドリルをさらに役立てるために、つぎに述べるその変形をおこなうことによって、スウィングのトップで肩に対する腕の正しい位置がつかめるようになってほしい。左腕を伸ばして、右ヒジの窪みの部分を下から左ヒジに当てて右腕を折る（イラスト左上）。これで左腕はほぼ真っ直ぐになるが、背中の上部が伸びるのと左肩が右に引かれるのが、同時に感じられるだろう。筋肉の収縮トレーニングに役立つこの姿勢を数秒間維持すること。このドリルで、トップのポジション（つまり、上体の回転の幅とコイル、そして筋肉を伸ばした状態）が、体で感じ取れるに違いない。これは、体の動きを筋肉に記憶させたり、プレーや練習の前に筋肉の緊張を和らげたりする

バックスウィングを始めるには、まずグリップエンドから動かす

ときに役に立つ、優れたエクササイズである。これを一日に数回おこなって、筋肉を正しく伸ばした状態の感じをつかむことだ。これは、理論を〝感覚〟で理解し、ボールを打つときに実践に移す、最高の方法である。

体の各部分の正しいポジションと感覚がわかるようになると、最終的にはそれが本能的に自分のスウィングに組み込まれていることに気づくものだ。しかし、スウィング練習をすると決めたら、反復できるスウィングを作るために、当初はかなり意識して思考するように努める必要があると認識すべきだ。これはあらゆるゴルファーに当然求められることであり、スウィング習得に不可欠なプロセスである。スウィングで一番楽に意識できる部分は、文句なしにアドレスとバックスウィングの始まりの部分である。スウィングの初期には、体の動きもポジションもコントロールできる。だが、その後の段階となるとそうはいかない。

ワッグルを完了したあと……それがホーガンの説くものでも、本章の末尾でわたしが勧めるその変形でも同じことだが……バックスウィングを開始する正しい方法をここに挙げる。わたしはこれは、スウィングの連鎖運動を開始させる秀逸な手段だと思っている。要は、クラブのグリップエンドを真っ先に動かすことだ。始まったばかりのスウィングを損なう根本的な原因は、手、腕、クラブヘッド、腕からなるユニットを連動させずに、クラブヘッドだけを極端に動かす（つまり、しゃくったり、左ヒジを曲げて大振りしたりする）ことだ。このミスは瞬間的にクラブの軌道を狂わせてしまう。しかし、クラブをグリップエンドから先に動かすと、体の動きはよいペースで始まる。

左腕を回した状態。プレーンはフラットになる

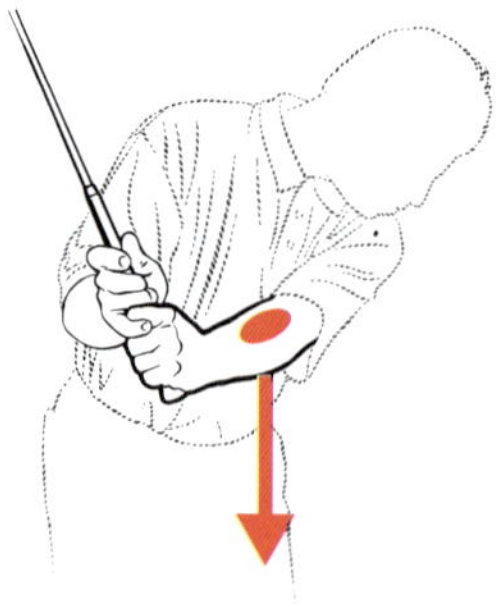

左ヒジが下を向いている状態。シャフトはアップライトで、腕の回転は最小限

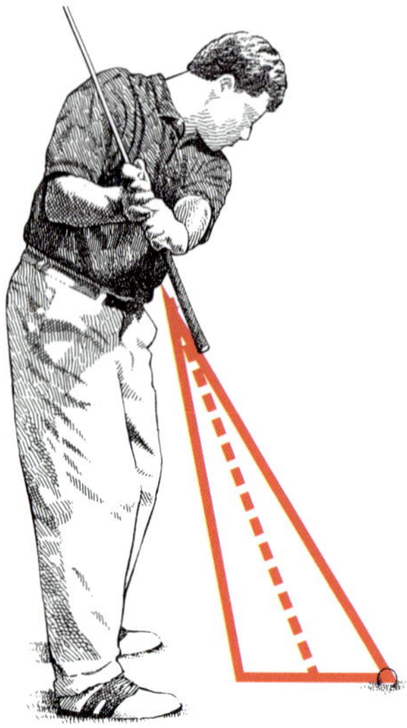

グリップエンドは常に"黄金の三角形"の内側を指す(90頁参照)

初期のホーガンはこれを実行したし、同時代のプレーヤーもそうだったが、極端なまでにこれを励行したのだった。

こうすると、ホーガンの場合にスウィングを改造しても相変わらずそうだったように、クラブヘッドはバックスウィングでシャット気味になると感じるかもしれない。彼は、バックスウィングに入った途端に自分はクラブフェースをオープンにしようと努めた、としばしば語っているが、実際には決してそうしているようには見えなかった。ホーガンは最初、クラブと手と腕の三角形をバックスウィングのほぼ3分の1の地点までワンピースで動かし、つぎに彼独特の非常に早いテンポで同時に手首をカッピングし、フラット気味なインサイドのプレーンで左腕を回転させて、クラブフェースをオープンにしたのである。

わたしが大半のゴルファーに勧めたいのは、三角形を動かしたあとは敢えて腕を回してクラブフェースをオープンにするのを避けることだ。ゴルファーは(スライスする者は特に)、逆に腕とクラブの回転を抑え、左ヒジをできるだけ長い間地面に向けておくように努力すべきだ。わたしの意見では、スウィングのなかの一つの重要なチェックポイントは、左腕が地面に対して平行になるバックスウィングの中間地点だ。この地点は、体がそれ以上回転しないとすれば、実質上はバックスウィングのトップに当たるのである。

左ヒジを地面に向けておくことで、2つの重要なことが達成される。まず、バックスウィングの中間地点でクラブはよりアップライトになるし(これはハイ・ハンディのゴルファーにお勧めする)、フェースはスクエアか、いくぶんクローズになる(これは、スライスをなくそうとしているゴルファーには理想的だ)。じつはここでは、「人によって異なるスウィング」の理論が実践に移されるのである。たとえば、ハンディが低かったり、バックスウィングのプレーンをフラットにしようとしているゴルファーの場合は、いったん三角形を

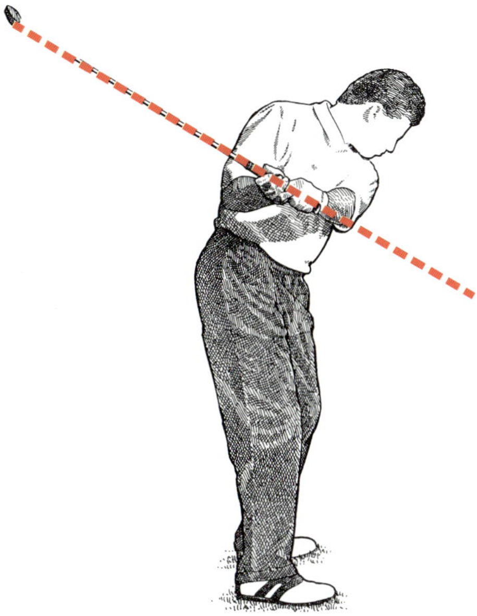

バックスウィングの中間地点で、多くのプレーヤーはクラブを寝かせ(つまりフラットにし）過ぎる

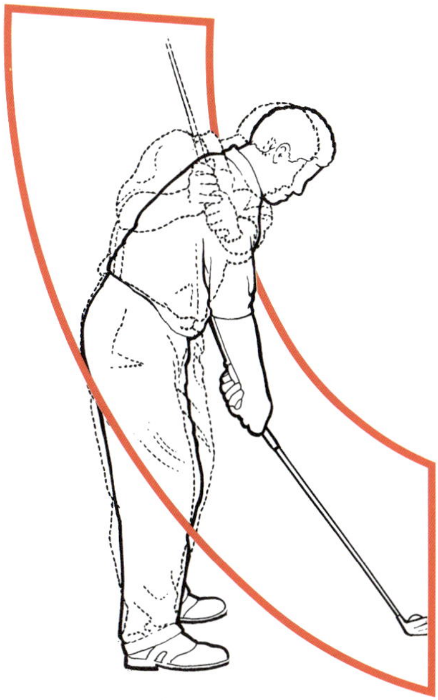

湾曲したガラス板でプレーンをイメージする

動かしたら、左腕を微妙に回転させるのが得策だ。両腕に描かれた赤いドットの位置を示すこのイラスト（左頁イラスト）は、そうした考え方を反映するものだ。さらに言えば、正真正銘のフックを打つゴルファーは、ホーガンの勧める手首の〝カッピング〟とトップ近くでフェースを開く秘訣を実験してみるとよい。ただ、注意しておきたいのは、徐々に色々なことを試すべきであり、できればビデオカメラや鏡を使うことによって、実際に自分が打つショットからフィードバックを受けることによって、自分のスウィングをじっくりと観察してほしい。もちろん、ある程度の試行錯誤は避けられない。肝心なのは、コースで試す前に、練習ボールを必ず打っておくことだ。

腕の位置：胸の前に来ている一般的な手の位置（右）に比べて、ホーガン（左）の場合は〝深いところ〟、つまり後ろまで動いている

この段階で、あと２点ほど承知しておかなければならないことがある。この場合も、ドリルを取り入れると便利である。ここではシャフトの真ん中を握り、わたしがバックスウィングの重要な中間のチェックポイントと考える、左腕が地面に対

ジャック・ニクラスの〝フライング・エルボー〟(わたしは〝フローティング・エルボー〟と呼ぶ)

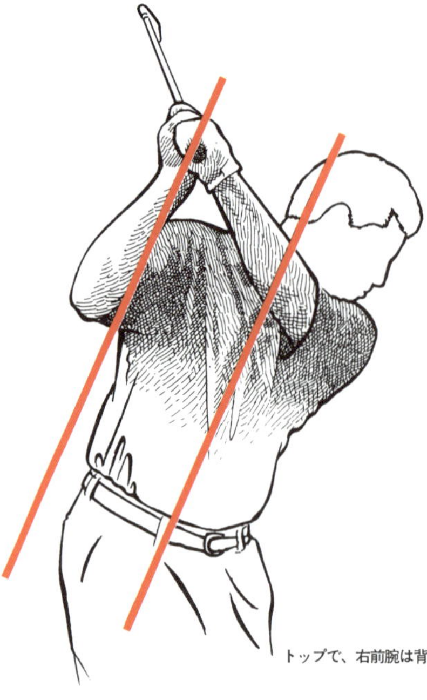

トップで、右前腕は背骨と平行

して平行で手首がほぼ十分にコックされた地点までテークバックするのだ。

さて、まず第1点。グリップエンドが、ボールとターゲットを結ぶ線上の一点から足とボールの中間点までの距離を底辺とする、わたしが言う黄金の三角形地帯（88頁イラスト参照）の内側のどこかを指していることを確認すること。グリップエンドがボールとターゲットを結ぶ線の少しでも内側を指していれば、これはシャフトのスウィング・プレーンの勾配がアドレス時より急なことを示し、多くのゴルファーにとって極めてプラスの状態である。ホーガンは、グリップエンドをほとんど直接この線に向けていた。腕前に自信のない多くのゴルファーは、テークバックで左腕を折ってクラブを首に絡めるようにして振り回すため、グリップエンドはターゲット・ラインのはるか外側を向いてしまう。これでは、クラブはテークバックの中間地点であまりにもフラットなプレーンに来てしまう。この不自然なポジションに入り込んでしまうゴルファーは、バックスウィングを完了させるために腕を急勾配に上げることを余儀なくされる。あまりにも早い段階でプレーンがフラットになり過ぎると、バックスウィングのトップでクラブはアップライトになり過ぎ、オーバー・スウィングとコイルの完全な不足が必然的に起こる。

多くのレッスンをおこなって来たわたしは、ガラスのパネルに首をとおすことよりさらに役に立つイメージは、湾曲ガラスのパネルに向かって立つ姿だと確信している(89頁イラスト上右)。湾曲したパネルのイメージは、プレーンの斜面が中間地点から少し急になることを表すから、バックスウィングの練習に理想的である。

つぎに第2点。テークバックの中間地点で、両手が胸の中央部のほぼ正面に来ていることを確認すること。わたしの経験から言うと、ホーガンが描くガラス板のイメージでは、ゴルファーの手はテークバックの中間地点ですでに胸の正面をとおり越して、はるか奥までいってしまう。この場合もやはり、ゴルファーは腕を上げないとバックスウィングが完了できなくなり、最終的にホーガンが嫌う、トップで上体のコイルのない、非常にアップライトなポジションに収まってしまう。テークバックの中間地点で両手をもっと胸の正面に保っておけば、あとは肩の回転を完了させるだけで……つまり、バックスウィングを完了する理想的な形で……そこから、トップにおける完璧な「スロット」に入っていけるのである。

さて、バックスウィングのトップについて語る番が来た。いささか過激に聞こえるかもしれないが、ホーガンがマスターして、強く推奨し多くのゴルファーが真似ようとしたあの右ヒジを胴体に引きつけるトップの形は、忘れたほうがよい。教える側がこれまでにこのアイデアに過剰に反応したのである。右ヒジを胴体に引きつけるゴルファーの大半は、最大限のスウィング・アークを作り出す、体の十分な動きと筋肉の伸びばかりか、ひいては飛距離まで失う羽目に陥ってしまう。トップで右ヒジを引きつけることを例外的に勧められるのは、体が極端に柔軟で十分にコイルを作ることができ、なんらかの理由でフラットなスウィング・プレーンの習得に励んでいるゴルファーである。

体が柔軟で胸の部分がよく引き締っていたホーガンは、そのようなゴルファーの一人だった。彼には、右ヒジを引きつけたフラットでコンパクトなスウィングができた。一方、ジャック・ニクラスは胸部がはるかによく発達していたため、トップで手を高く上げて胴体から離すことが必要だった。これが、われわれが長年にわたって見たり読んだりし、スウィングにある種の純粋性を求める理論家たちがしばしば批判したニクラスのあの有名な〝フライング・エルボー〟を生んだのだった。彼の体軀と柔軟性がアップライトな腕のポジションと、わたしが〝フローティング・エルボー〟(〝浮いたヒジ〟)と呼ぶ右ヒジの位置を生んだのである。事実、無理に右ヒジを上げようとしない限り、そして、ダウンスウィングで右ヒジが適正なスロットに収まるなら、〝フローティング・エルボー〟に問題はないのである。ニクラスのやり方を踏襲しているその他の一流選手のなかには、フレッド・カプルスとジョン・デーリーがいる。カプルスは右ヒジを〝フロート〟させる超ロング・ヒッターだが、この動作は彼の力強いスウィングの特徴である、あの驚くべき気楽さと流れるようなリズムを生む一要因となっているのである。また、現代のトーナメントで最長距離ヒッターのデーリーの場合は、筋肉隆々で柔軟性のある体が、体の大きな回転と極端なオーバー・スウィング、そしてトップにおける右ヒジの高い位置をまったく問題にしないでボールを打つことを可能にしている。いったんダウンスウィングに入ると、クラブはたちまち完璧なスロットに収まるのである。

右ヒジを無理に下げると、ほとんどの場合に体

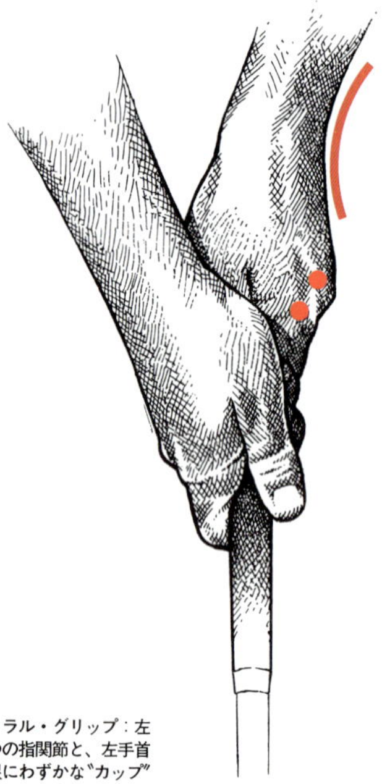

ニュートラル・グリップ：左手の２つの指関節と、左手首の付け根にわずかな〝カップ〟が見える

の動きとコイルが制限されてしまう。じつはこれは、シャフトをコントロールするためにゴルファーが右ヒジを体の近くに引きつけるように指導していたヒッコリー・シャフト時代の遺産なのである。わたしは、トップにおける重要なチェックポイントとして、右前腕が背骨に対しておおよそ平行になっているかどうか確かめればよいことを発見した。この形さえできていれば、ひどい結果はめったに出ない。ここでは右腕は左腕のプレーンに具合よく調和している。しかし、覚えておいてほしいのは、スウィングの全体像はあくまでもゴルファーの体型と姿勢によって大きく左右されるという点だ。たとえば長身で、上体をふつうより前傾させてセットアップするゴルファーの場合を考えてみよう。もしこの人間の腕が短かったとしたら、肩はふつうより傾斜した軸を中心に回転するものの、その動きは背骨に対しては依然として直角なのである。その結果、このゴルファーのスウィング・プレーンは、当然のことながら、よりアップライトに見えることになるのである。

さて、手首とクラブフェースの理想的なポジションだが、わたしはホーガンが編み出した〝ウィーク・グリップ〟と、左手首を〝カッピング〟して、フックを防ぐためにクラブヘッドのトゥの部分を下に向ける秘訣について語った。グリップの章で述べたように、一般的に言って、わたしはアドレスでは左手は指関節が２つほど見える、かなりニュートラルなポジションに置き、手首にわずかなカップを作った構えを取るべきだと思う。そして、この形をトップまで崩さないことが肝心である。トップでは、ふつうはスクエア・ポジションと見なされる、クラブフェースが左前腕と手首に対して平行（あるいは可能な限り平行に近い状態）になった形をかならず取ること。またその際、アドレスで手首に作ったカップがまだ見えていることを確かめる。アドレスからトップまで同じ形を維持すれば、トップでは構えはスクエア（つまりニュートラル）になるわけだが、これは理論上はクラブフェース、手首、あるいは手で小細工することなしに達成できるポジションなのである。しかし、極めて率直に言うなら、いわゆる理想的なポジションや理論などというものは、あくまでも〝理論〟に過ぎないことを、わたしはずっと以前に悟った。ゴルファーは自分にとって効果のある方法を自分自身で発見すべきなのだ。多くのゴルファーは、〝理想的〟と言える状態に到達することはないが、それでも必要なことは達成している。ホーガン自身、トップでクラブを巧みに扱っているのである。

しかし、ここでわたしは、パワーに欠けるゴルファーやスライス病のゴルファーに、一つの提案をしたい。すでに描写した、左ヒジが地面を向い

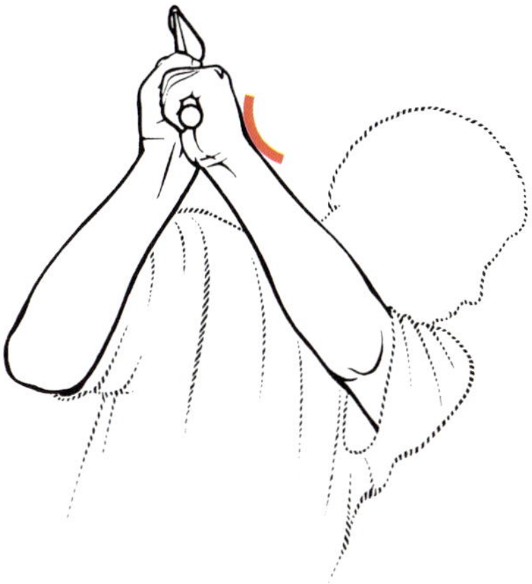

グリップのニュートラルのポジションをトップまで維持する。左手首にわずかな〝カップ〟が見える

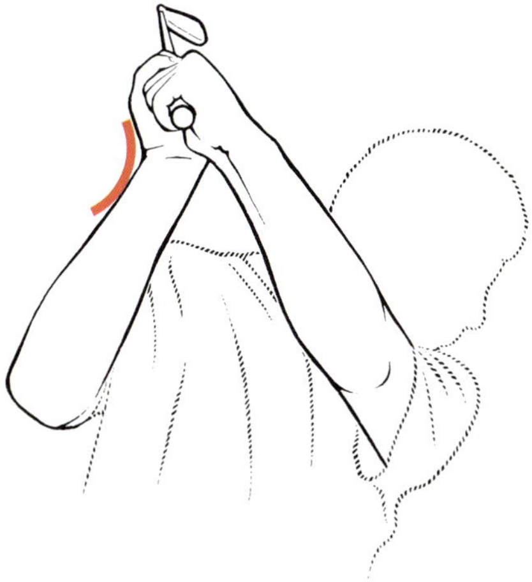

右手首に〝カップ〟のできたトップのポジションは、パワー不足やスライスに悩むアマチュア・ゴルファーに副音をもたらす

たバックスウィングの中間地点から、〝カッピング〟した右手首がシャフトの下に来るようにして、そのままトップまでスウィングするのである。これは、読者諸氏にとって〝秘訣〟になるかもしれない。

この場合、左手首は真っ直ぐか、いくぶん弓なりの形になり、クラブ・フェースはもっと空を向くことだろう。この力強いポジションは、アマチュアの役に立つことをわたしは知った。役に立つ理由は、まず第一に、それによってスウィングが安定すると同時に、ダウンスウィングでフェースをこれ以上開くことが難しくなる。フェースをよりスクエアかクローズに戻すと、ボールをはるかにしっかりとらえることができるのである。80をなかなか切れないでいるゴルファーは、いずれの場合もダウンスウィングでフェースを開き過ぎてしまい、インパクトでどうしてもスクエアにできずにいる。このポジションを試してみる価値は大きい。

50年前のベン・ホーガンのスウィングに沿って考えると、現代のスウィングには面白いことに、ゴルファーは腕の振りはかなり短くして肩を十分に回しているという一面がある。このようなスウィングは体の過度な動きをなくすから、わたしとしては気に入っている。体を十分に捩じり、腕をスリークォーターに振ることを考えるといい。いったんその感じをつかんでしまえば、この形ができているかどうかを意識下で確認し、さらに再確認するような癖が自然につく。意のままに反復できるようになるまで、鏡を使ってこの地点までのバックスウィングの練習をすることだ。これはいわば、クラブがボールに戻る〝旅〟の力強い出発点なのである。一般的に言うなら、大半のゴルファーにとって、短めのスウィングは長いスウィングと比べて、それ以上とは言わないまでも同じだけのパワーを生み、ミスを生む部分が減るため、反復し易いのである。

最後にワッグルについて少し考察してみたい。ホーガンの場合、非常に速いテンポでスウィングしたから、ワッグルも同じように速かった。ゴル

オーバーなワッグルをおこなって、クラブフェースがオープンの状態を披露するホーガン

ファーのスウィングのテンポは、多くの場合、本人の癖や気性や一般的な振る舞いによるところが多いことは確かだ。ジャスティン・レナードはよく計算された、慎重なペースで動く。彼のワッグルはそうしたペースを反映している。一方、トム・ワトソンやニック・プライスは速く動く。だから、彼らのワッグルは歯切れがいい。ゴルファーによっては歩き方も、話し方も、動作も早い者がいるし、もっとのんびりの者もいる。彼らのスウィングは一様にこうしたペースを反映するが、これは予期すべきことだ。しかしわたしは、多くのゴルファーはあまりにもゆっくりスウィングしようとしていると強く感じている。ゆっくり過ぎるスウィングは、特定のスロットにクラブを収めようとする努力あるいは思考の結果なのかもしれない。しかし、忘れないでいただきたいのは、スウィングは肉体の動作であり、考え過ぎは……特にコースでは……リズムを乱し兼ねないということである。また、バックスウィングが緩慢なゴルファーは、ダウンスウィングを急ぐ場合が多い。これでは、いわゆる「トップから打ちにいく」過ちを犯すことになってしまう。多くのゴルファーについて言えるのは、もし体のあらゆる部分を連動させることができて、クラブをボールから荒々しく引

き離すような慌ただしいテークバックをしないなら、スウィングのテンポは少し速めてもよいということだ。肝心なのは、特にテークバックが始まった段階とトップにおける切り返しの地点で、流れるような動きを身に付けることだ。ワッグルはその達成に大いに役立つのである。

ホーガンは、バックスウィングでクラブフェースを開くことに真剣に取り組んだため、そのような意思が彼のワッグルに現れたのではないか、とわたしは推量している。右ヒジを右腰に引きつけ、左ヒジを外側に回すという彼の指針が、彼独特のバックスウィングの〝縮刷版〟となるワッグルを作らしめたのである。フックに悩んでいたから、彼はテークバックばかりでなく、スウィングが終わるまで一貫してフェースを開いておくように意識したのだった。左頁の写真……極端にオーバーなワッグルを使って、感じようとしていることを示すホーガンの姿……は、それを明白に表している。しかし、もしスコットランドの古い諺である「ワッグルするようにして打て」に従うならば、ひどいフックを打つか、あるいはなんらかの理由でバックスウィングでクラブをシャットに持ち上げる癖のあるゴルファー以外は、ホーガンとは異なったスタイルのワッグルを採用すべきだ。

つぎのような考え方に沿って練習してみてはどうだろう。アドレスに入ったら、まずクラブを地面の少し上に浮かせた状態で、目をターゲットに集中させる。つぎに体重をわずかに左足から右足に移し、そして再び左足に戻す。このように足を使って体の動きとリズムを設定するのと同時に、グリップエンドをスウィングの軌道に沿って左右

ワッグルは、腕とクラブの動きを体の動きに同調させる働きをする

に短く……最高6インチ(15センチ)ほど……動かす。その際に、左手首のカップの度合が増していく感じをつかむ。また、左腕が胸を圧迫するのも感じてほしい。そこで小休止する。そしてつぎに、視線をターゲットからボールに戻して集中し、手と腕を緊張させずに、足から足へのわずかな体重移動を交えた動作を、いままでのリズムでもう一度繰り返す(基本的には、これはスウィングの初期の段階で体の動きを、腕とクラブの動きと連動させていることを意味する)。さてここで、ボールの正面で再び静止する。そして、ヒザと腰をターゲットに向かって軽く突き出し、グリップエンドを引いてスウィングを開始するのである。腕は、常に緊張のほぐれた〝柔らかい〟状態にしておくことだ。この際のビートは、強いて言えば「ワッグル、ワッグル、フォワード、ゴー!」ということになる(〝フォワード〟は、ヒザと腰をターゲットに向かってすこし突き出すことの意)。これは、スウィングを始める際のビートを作るマントラとしては、決して悪いものではない。テニスの選手がサーブを打つときに、ボールをコートで弾ませ、体を揺すってリズムを作る仕種に似ている。

この手順は、ゴルファーによって異なって当然だ。たとえば、ワッグルの回数を1回増やしてもよいし、まったく自分なりのワッグルを考案してもよい。ターゲットは見ないでボールにだけ集中するのもよかろう。ワッグルは、規則正しくおこなえば、どのようなものであってもワッグルのないスウィングに確実に勝る。スウィングに入るためには、ワッグルという〝きっかけ〟が必要なのだ。

わたしは、自分が勧める上記のようなワッグルの仕方は、多くのゴルファーにとってよい結果をもたらすことを知った。ホーガンは彼なりの、そしてわたしはわたしなりの方式を勧めるわけだが、もし両方ともしっくり来ない場合には、自分なりのやり方を編み出していただきたい。ワッグルの最大の効用は、ターゲットを見た段階でボールに〝縛られなくなる〟ことだ。つまり、これから始まるショットに焦点を絞れるようになることが、ワッグルの効用なのである。わたしがワッグルを2度おこなうことを勧めるのは、それによって余計なことを考える時間を少なくし、緊張をほぐすことができるからだ。

要するに、自分にとってやりやすいワッグルを見つけて、プレーでそれが本能的に自分のスウィングの一部になるように、自宅や練習場で繰り返し練習することが肝心なのである。そのようなワッグルを身に付ければ、ショットの安定性が著しく増すことに驚かされるだろう。自分の周りを観察して、一応はショット前の安定した動作と呼べる動作を身に付けているアマチュアがじつに少ないことを、認識していただきたい。もし、なんらかの動作が見られるとしたら、それは多くの場合、神経性痙攣から来るものに過ぎない。プロ・ゴルファーを見ていただきたい。ワッグルの形は選手によって異なり、場合によっては単に体の静止状態から逃れるためにクラブを動かすこともあろう。しかし、上級者の共通点は、常に同じリズムで本能的にワッグルしていることだ。そして彼らは、ショットごとにそれを繰り返しているのである。

最後に、バックスウィングを正しい軌道に収め、これまでに勧めてきたアイデアをスウィングに組み入れるために有効な、わたしのお気に入りのドリルを一つ紹介しよう。

このドリルをあらゆるレベルのゴルファーを指導する際にいつも使っている。まず、スタンスの姿勢を取ったら、腕をリラックスさせてクラブを軽く握り、クラブヘッドをボールの少し上の位置から、ボールの2フィート（60センチ）ほど前まで（つまり、ターゲットの方向へ）運ぶ。この場合、クラブヘッドはターゲット・ラインの少し内側に来る。このポジションから、つぎにそのままトップの位置までバックスウィングをおこなって、ボールを普通に打つのだ。ボールのはるか前方からバックスウィングを始めると、スウィングに勢いがつくため、じつにスムーズに始動できる。クラブがグリップから動き、クラブヘッドがわずかながら遅れて動くのを感じることだろう。そうなれば、あとはあまり考えなくても伸び伸びと流れるように体を動かすことができるのである。クラブの自重と勢いのせいで、手首は自然にコックされる。胴体は滑らかに動き、クラブはまるで本能的に正しい軌跡を見つけるかのように動く。そうした動きがすべて加味されて、ダウンスウィングへの滑らかな切り返しがおこなわれ、インパクトでクラブは加速してリリースされるのである。

このドリルは、まずティアップして7番アイアンでおこない、次第に長いクラブに移っていくのがよい。それによって、スウィングを開始して、クラブをトップで重要極まりない、あの〝スロット〟に収めるのに必要な感覚とリズムがつかめるのである。アドレスであまり考えすぎたり、スウィング中のクラブのポジションにとらわれ過ぎたりして緊張が高まったときに、このドリルは役に立つ。その効果は非常に大きい。

ボールの約60センチ前からおこなうバックスウィングの効果的なドリル

第4章
ダウンスウィング
DOWNSWING

THE DOWNSWING ダウンスウィング

ベン・ホーガンはボールをしっかりとらえてショットができたとき……それも、
特に思ったようなラインと弾道が出たときには……深い満足感を味わった。
ボールをまともにとらえたときにクラブヘッドから手をとおして体に伝わってくる
あの快感には、あらゆるゴルファーが憧れる。しかしながら、
どんなに優れたプレーヤーでもボールを毎回真芯でとらえることはできない。
近代ゴルフ界でもっともカリスマのあったプレーヤーの一人で、
全米プロ・ゴルフ選手権を５度制したウォルター・ヘーゲンは、１ラウンドに
６発か７発のミスショットは覚悟していたと言っている。ヘーゲンは
彼の時代のゴルファーのなかで最高のショット・メーカーの一人だったが、
その彼ですら、そのように感じていたのである。ボビー・ジョーンズは、
ゴルフで完璧な安定性を求めることは不可能だと書いている。
ホーガン自身も、自分のイメージどおりのショットは、
１ラウンドで１発か２発しか出なかったことを認めている。
だから現実には、トップ・プレーヤーたちはミス・ショットをしても、かならず
次打が打てるようなショットしか出ないようなスウィングを作るのである。
つまり、ミスを少なくし、ミス・ショットの〝質をよく〟すればするほど
ゲームは安定する、という考え方だ。
本章では、スウィングのなかでゴルファーがボールを打つ部分、
つまりダウンスウィングについて考察することにしよう。

ホーガンは、自分が採用したバックスウィングのプレーンは、同じ軌道とリズムで反復できるスウィングをもたらすと力説している。われわれがすでに承知しているように、バックスウィングのプレーンはボールから肩を通り抜けて走る想像上のライン上に広がる、とホーガンは考えていた。もしゴルファーが、両肩を回して両腕とクラブをこのプレーンに乗せてテークバックすれば、左腕はトップで……前腕と、フラットにした左手首も

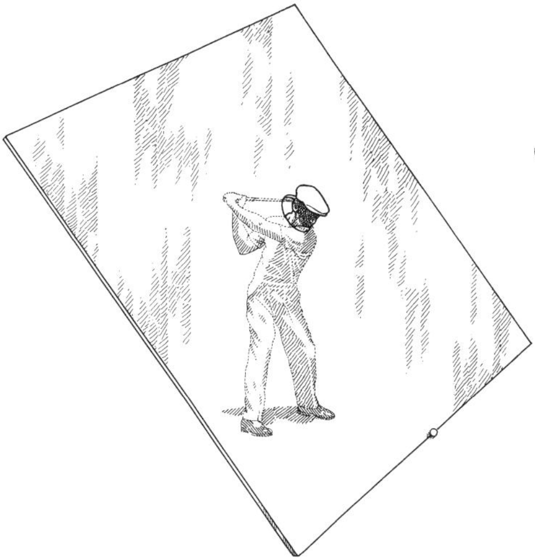

トップにおける左腕のプレーン

ホーガンのイメージでは、ダウンスウィングのプレーンはバックスウィングよりフラットな角度にあった。その結果、ダウンスウィングのプレーンの底辺はターゲットラインの右に移り、インサイド・アウトのスウィングの軌道が生まれた

含めて……ボールに対してプレーン・ラインと同一の角度で伸びていることになる。バックスウィングのトップに関してゴルファーが肝に銘じておかなければならないその他の要素は、以下のとおりである。つまり、右ヒジが正しくたたまれていること、左腕を突っ張らずにきちんと伸ばしていること、肩が完全に回っていること、そして手首が自然にカッピングされていることである（ホーガンが『モダン・ゴルフ』のなかで自分の〝秘訣〟について、実際にはほとんど語っていないことを思い起こしていただきたい。だから彼は、左手首の〝カッピング〟については触れなかった）。ガラス板をイメージしたホーガンが主張するところによると、それができればガラスの下にある肩と腕と手は、一つのユニットとして連動し、ダウンスウィングに入るための完璧なポジションに、反復可能な形で収まるのである。

前章で述べたように、ホーガンはダウンスウィングのプレーンはバックスウィングのプレーンとはいくぶん異なると考えていた。傾斜がバックスウィングよりフラット、つまり緩やかだと言うのである。この傾斜は、ゴルファーが腰を左に回すことによって右肩が下がるため、自動的に緩くなる。したがって、ガラス板のイメージはここで修正されなければならない。この段階で、ガラス板の傾斜はバックスウィングのときよりも少しフラットになり、底辺はターゲットの少し右を指すことになる。これによって、スウィングがインサイド・アウトになる傾向が強まる。ホーガンは、ゴルファーはダウンスウィングのプレーンに起こるこの変化に過度な注意を払う必要はなく（もちろん、知っておくことは重要だが）、むしろそれによって起こり得ることのほうに留意すべきだと考えた。

ダウンスウィングは、まず腰が左に回ることから始まる……これは、ホーガンが『パワー・ゴルフ』で初めて紹介した考え方である。この動作を正しくおこなえば、それによって正しいダウンスウィングが事実上保証されたことになる。この動作は体の回転のスピードと体重の移動を可能にし、それによってゴルファーは、インパクトのエリアで体に邪魔されることなく腕を自由に振ることがで

腰、肩、腕、そして手の各部のパワーをリリースして、みごとなフィニッシュに入るホーガン

きる。腰がボールの方向へ戻る動きに伴って体全体はわずかに左へ動くが、これによってゴルファーは体重を左足へ移動できる。しかしホーガンは、肩を大きく回したとしても、バックスウィングで腰を過度に回せば腹筋や背筋に十分な緊張が生まれず、ダウンスウィングで腰をターゲット方向に向かって素早く回すエネルギー源が失われてしまう点に注意するように呼びかけている。基本的なルールは、バックスウィングにおける筋肉のトルク（捩じれ）の度合いが大きければ大きいほど、ゴルファーはより速く腰を動かしてダウンスウィングを始めることができるということだ。ホーガンの考えでは、腰の動きは速ければ速いほどよいのである。

バックスウィングの初期に起こるのと同様に、ダウンスウィングでも腰が動くことによって体の各部の連鎖運動が始まる。体重はスムーズに左足に移り、右ヒザはターゲットの方向に〝キック・イン〟される。胴体、腰、そして肩の調和の取れた動きによって生まれたパワーは増幅し、腕から手へ、そして最終的に、猛烈な勢いでボールをとらえつつあるクラブヘッドへと伝わっていくのである。

ホーガンは、胴体のパワーを増幅する力を損なう一つの確実な方法は、ダウンスウィングを腕の動きから始めることだと信じていた。そうなると、体はいやでもボールに被さってしまうから、必然的にアウトサイド・インのスウィングになる。その結果に関しては、あらゆるゴルファーがよく承知しているはずだ。要するに、弱々しいスライスかプル・ボールである。対応策としてホーガンは、初心者とアベレージ・ゴルファーに、スウィング中は手を意識的に使ってはならないと警告している。ダウンスウィングでは、両腕が腰の高さに下がって来るまでは、手が演ずる役割はなにもないとホーガンは考えていた。そして、腕がそこまでいくのは、単に腰の動きに運ばれるからに過ぎないと説いた。彼は、クラブをトップの位置まで振り、そこでいったん静止させ、その後、腰をターゲット方向に動かしてみれば、その感じはつかめるはずだと説いている。なにも考えなくても手と腕が自動的に下りて来ることがたちまちわかるだろう、と彼は言う。スウィングのこの段階では、パワーが蓄積されていることを感じることも必要である。ホーガンはこの段階からゴルファーが考えるべきことはただ一つ、つまりクラブフェースをボールに向かって誘導しようとすることではなく、ボールを叩くことだと考えた。ホーガンの動作は、ダウンスウィングが始まってからフォロースルーが終わるまで、とぎれることのない連続運動として高く評価されていたのである。

ホーガンは、プレー中はダウンスウィングに関して2つのことしか考えていなかったと繰り返し語っている。つまり、まず腰でリードすることと、体、腕、そして手の順序でボールを思い切り叩くことだ。彼は、スウィング中に体の各部を正しい順序で動かせば、あまりひどい結果は出ないと考えていた。そして彼自身のスウィングは、正しい連鎖反応が爆発的なパワーを生むことを、あますところなく証明したのである。

ホーガンは、ダウンスウィングについて以上2つの点しか考えなかったが、インパクトという肝

ホーガンは右腰の回転が腕を下へ引くと考えた。この動きを体感するためには、トップで一度体を止めてみる

そのあと腰を回せば、腰の動きに伴って手と腕が下がることが確認できる

ゴルフのスウィングにおける右腕の動きは、野球の内野手がサイドスローでボールを投げるのに似ている

心なエリアで手と腕が果たす役割について、ゴルファーが理解するのはよいことだと考えていた。

右手と右腕の正しい動作について理解するために、ホーガンは野球の内野手がサイドスローするモーションを思い浮かべるように勧めている。腕を前に振るとき、まず右ヒジが腰に近づき、つぎにヒジが腕をリードする。最終的には手と前腕はヒジに追いつき、ボールをリリースするときには腕はかなり真っ直ぐに伸びている。投球のフォロースルーに入ると、手首と手が回転し、手の平はフィニッシュで下を向く。これは、ゴルフのスウィングがボールをとらえる地点で起こることと非常に似通っている。内野手の投球に見られるこのメカニックスは、ジョーンズ、サラゼン、スニード、ネルソン、ニクラス、そして今日のトップ・スターであるタイガーを含む、ホーガン時代以前の名手にも、それ以後の名手にも、すべてに共通に見られる特徴なのである。

フル・ショットについて、ホーガンは右手でできるだけ強く……しかし左手を圧倒しない程度に……打つことを信条としていた。このような両手を使った打法は、インパクトからフィニッシュにかけて左手も継続的に使えるという恩恵をもたらす、とホーガンは考えた。彼はまた、インパクトに入るとき、左の手首と手の甲が次第に〝外転〟（外側に回ること）し始めるという事実に注目した。つまり、トップで手の平がほとんど下を向いた状態（指関節は上を向く）から、クラブフェースがボールをとらえる瞬間までに、上を向いた形に近い状態（指関節は下を向き始める）になるまで回転する。そしてインパクトでは、左手の甲はターゲットのほうを向く。また、右下のイラストで示すようにホーガンの手首の骨は隆起する。その結果、クラブヘッドがボールにコンタクトするとき、手首の骨は手のその他のすべての部分よりターゲットに近づくのである。このポジションでは、左手首はパワーの伝達を阻害していないし、右手は左手を圧倒していない。

左手を〝外転〟した状態

　ホーガンは、スウィングのこの段階でクラブヘッドに最大限のパワーを送り込むため、もしそれで左手のコントロールが失われないなら、右手が３本あればよかったと願ったのだった。腕のよいゴルファーはだれでも、インパクトで手を〝外転〟させたポジションを取り、へぼゴルファーは一人残らずその逆をおこなっている、とホーガンは言う。つまり、インパクトでクラブヘッドがボールに対してスクエアになると信じて、小手先でクラブヘッドを操作し、手首をこねるのだ。しかしそうすることによって、実際にはボールを空中にすくい上げることになり、パワーは失われてしまう。ホーガンは、アメリカの「ゴルフ・ダイジェスト」誌の1956年４月号で、つぎのように指摘している。「わたしは、腕のよいゴルファーならだれでもおこない、腕の悪いゴルファーはだれもしていないことが一つあるのを発見した。つまり、うまいゴルファーは、インパクトで左手首のほうがボールより前にある（ハンドファーストになっている）ということだ。小さいことかもしれないが、これは万国共通の現象だ。インパクトで、うまいゴルファーの左手首は凸型になり、下手なゴルファーの左手首は凹型になっている」

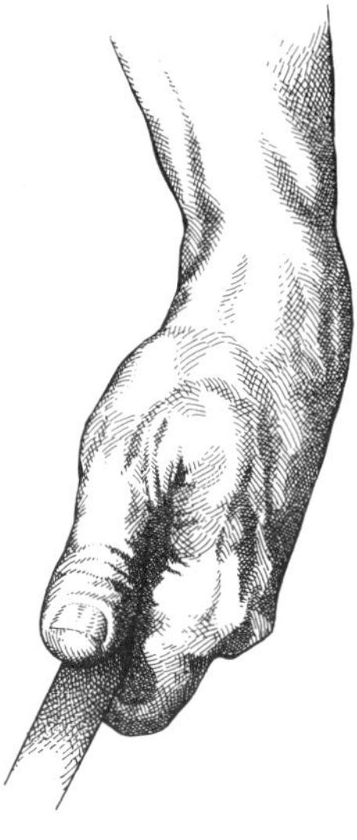

〝外転〟した左手の手首がわずかに凸型になった状態。ホーガンはこれを理想的なポジションと考えた

〝内転〟し、左手首が凹型になった状態。下手なゴルファーによく見られる、誤った手の回し方

左手の〝外転〟運動はスウィングのアークを大きくし、インパクト直後に両腕を十分に伸ばすことを可能にする

手の〝外転〟運動は、ホーガンにとって重要なことだった。その結果、インパクトの直後に両腕を十分に伸ばした状態が可能になり、プレーヤーは大きなスウィング・アークを維持することができると考えていたからである。これはまた、ゴルファーがボールをクリーンにとらえ、弾道をコントロールすることを可能にする。特にアイアンの場合は、クラブヘッドは自動的にまずボールをとらえてからターフを取るため、〝外転〟運動の効用は大きいのである。このような手の動きは、大気を貫くような、勢いのよい弾道を生む。

ベン・ホーガンはまた、ゴルファーはインパクト・ゾーンについて、その他のいくつかのポイントも承知しておくべきだと考えていた。たとえば、右腕はインパクトで徐々に伸びていくが、まだ少し曲がっている。両腕がそろって真っ直ぐに伸びる唯一の地点は、インパクトの直後である。左手首の〝外転〟運動が両腕をその地点へ導くのである。その段階で、左ヒジはちょうどバックスウィングのときの右ヒジのような形になってたたまれてゆく。右腕は、バックスウィングにおける左腕を鏡に写したような形で、フィニッシュまで一貫して伸ばしたままの状態を維持する。フォロースルーが完了すると、左ヒジはバックスウィングのトップにおける右ヒジと同じような形で地面を指す。右肩はアゴに当たり、この時点で両肩はようやく腰に追いつく。

ダウンスウィングにおける下半身の動きについては、ホーガンは腰をターゲット方向へ回すと同時に、左足を外側に弓なりに曲げ、体重を左足の外側まで移動させることを好んだ。ダウンスウィングに関するホーガンのもう一つの考え方は、ボールは強く叩けというものだった。多くのプレーヤーは、ミス・ショットが少なくなると信じて、

インパクトでは、右手は伸びつつあるが、まだすこしだけ曲がっている

フォロースルーでたたんだ左ヒジは、バックスウィングの際の右ヒジと同じ形になる

フォロースルーでは、右腕はバックスウィングで伸ばした左腕と同じ形になる

フィニッシュにおける左ヒジの位置は、バックスウィングのトップにおける右ヒジと同じ

ボールをラインに乗せることに神経を使うために、せっかくのパワーをインパクトで抑えている、と彼は考えていた。正しい基本を身に付けてさえいれば、ボールは強く叩いたほうがより真っ直ぐに飛ぶというのがホーガンの意見だったが、彼はこの理論を確実に実証してみせたのだった。

ホーガンが細かい点にも綿密に気を配ったことは明らかである。彼はゴルファーにスウィングの詳細を正しく理解してほしかった。だから、ゴルフのスウィングの働きや技術面の問題について、ものを書くときも話すときも、彼は簡潔で正確であることに、常に細心の注意を払っていたのである。

私の見解

ベン・ホーガン、サム・スニード、バイロン・ネルソンの三偉人は近代ゴルフの父である、という定義に異論を挟む者は少ないだろう。スウィングとボールをとらえる技術の両面から見て、彼らは現代のプロ・ゴルフ界でも十分に通用したことだろう。彼らはいずれも、鞭のようによくしなるヒッコリー・シャフトをコントロールすることを中心にテクニックを磨いたウォルター・ヘーゲンや、のちに脚光を浴びたボビー・ジョーンズの、手をかなり使った〝ハンジー・スウィング〟と、安定性に優れたスチール・シャフトの導入に伴って登場した、体の回転をより重視したスウィングの境界線で活躍したゴルファーである。ホーガンは特にダウンスウィングの分野に関して非常に進歩的な考え方を持っており、下半身の重要な役割にかかわる彼の全般的な考え方が正しいことは、これまでにインストラクターやプレーヤーばかりか、生体力学の専門家によっても立証されている。しかしわたしは、ホーガンの考え方のなかのいくつかは、長いこと誤って解釈されてきたと思わざるを得ない。ガードナー・ディッキンソンは自著"Let 'er Rip"のなかで、バックスウィングの途中で腰の回転を遅らせることに成功した、とホーガンが確信した点について意見を述べている。ディッキンソンは、つぎのように書いている。「しかし、彼の腰の回転は相変わらず速く、抑制や（回転の）停止の痕跡は、私にはいっさい認められなかった。特にドライバーの場合がそうだった」。ディッキンソンは、さらにこう付け加えている。「べつの言い方をすれば、もっとも偉大なプレーヤーでも、思っているようなスウィングはなかなかできないものだ」

そうとなると、ホーガンの理論を活字にした記録が、ある部分に関して誤解を生んだとしても、あまり驚くことはない。今日われわれは、ハイスピードのフィルムやその他の近代的なテクノロジーの恩恵に浴している。だから、物事を先達たちよりもはるかにはっきりと見ることができる。しかし、ホーガンの考え方にとって代わるアイデアを提供するに当たって、自分がボールをどのように叩いたかという点を分析するホーガンの秀逸な能力にケチをつけるつもりは、わたしにはまったくない。彼のスウィングに関する考え方は時代をはるかに超越していた。彼自身に関する限り……ここで読者諸氏は、ホーガンは若いころにゴルフをいくらか教えはしたが、インストラクターというよりは、本質的にはあくまでもプレーヤーだったことを思い起こしていただきたい……ホーガン

ターゲット・ライン上で見ると、ホーガンがインパクトのあと、どれほど鋭くインサイドにクラブを引いていたかが窺える

は自分が実験してみた考え方や感覚を基に、彼自身にとって最適のシステムを作り上げたのである。

このシステムこそ、フックを生む傾向に終止符を打つ術をホーガンに与えたのだ。一般的に言って、上級者や運動能力に恵まれたゴルファーは、スライスよりフックに悩まされる。逆に、運動神経の劣るゴルファーは、コントロールできないようなスライスに苛まれるのだ。彼らはスウィングに迫力を欠くため、パワーを作り出す方法としてダウンスウィングで必要以上に上体の動きに頼る。逆に腕のよいゴルファーは、一般的にクラブを極端にインサイドから振ると同時に、下半身を使い過ぎる傾向がある。そして、インパクトでクラブフェースをスクエアにするために手の動きに頼るが、この場合、手のリリースのタイミングが完璧でないとフックかプッシュ・ボールが出てしまうのだ。一方、下手なゴルファーは肩と腕を過度に使うため、スウィングの軌道が急勾配かつアウトサイド・インになり、スライスやプル・ボールを乱発する。

バックスウィングの安定したトップの位置から求められるものは、ダウンスウィングを始めるために必要な下半身の効果的な動きである。この動きこそ、他のあらゆる動きに勝って、クラブを(クラブヘッドがボールに戻る際の) 正しい軌道ばかりでなく、最高のプレーンに収めるのである。これらの２つの要素が噛み合うと、インパクトでクラブフェースはスクエアになり、しっかりしたショットが出るのだ。

わたしの意見では、ホーガンが推奨するトップの手の位置が低くて比較的フラットなスウィングプレーンは、いくつかの問題を起こす場合がある。このプレーンと手の位置を取り入れた上級者が、腰を極端に速く回転させてダウンスウィングを始めるというホーガンのアドバイスに従えば、クラブは体の後ろに残りがちである。その結果、クラブを過度にインサイド・アウトに振ることになり、極端なフックかプッシュ・ボールが出ることだろう。ホーガンの場合は、クラブヘッドは極端なインサイド・アウトの軌道でボールに近づいたが、彼の〝秘訣〟が可能にしたインパクト時のオープ

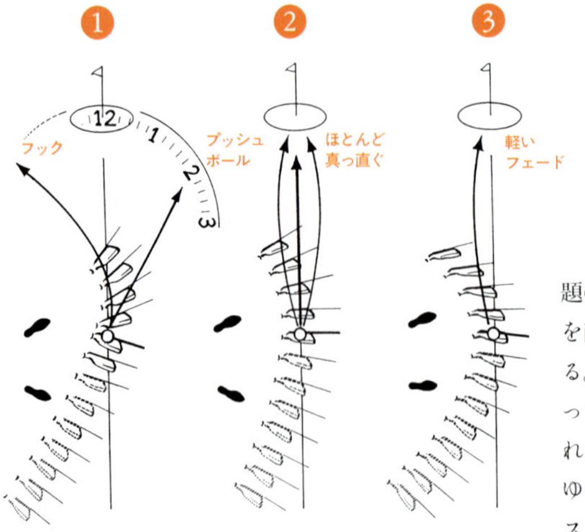

①クラブヘッドが極端にインサイド・アウトに走る場合
②クラブヘッドが〝インサイドからインサイド〞に走る場合
③極端にインサイド・アウトなホーガンのインパクトへのアプローチ。インパクトのあと、クラブは鋭くインサイドに振り抜かれる

ンなクラブフェースのおかげで、ボールをとらえたあとは、グリップエンドを体の左サイドへ思い切り引くことができたのだった。これは、たぶん体の左サイドが強靱だったからできたのだろう。インパクトのあと、ホーガンのクラブヘッドはボールへのアプローチを反映して、本質的に鋭くインサイドに走った。ホーガンの手は、ボールがクラブフェースを離れたかなりあとまで交差しなかった。だから彼のショットは、ボールが頂点に達すると、わずかに右にフェードすると言われたものである。

ホーガンはインサイド・アウトに振る必要性をしばしば説いているが、じつはそれは本当の意味でのインサイド・アウトのスウィングではなかった。ホーガンのクラブ軌道はかなり極端な〝インサイド・イン〞であり、さらに厳密に言えば、ターゲット・ラインの内側からきてインパクトでスクエアになり、その後ふたたびインサイドになる軌道だった。もう少し詳しく述べてみたい。〝インサイド・アウトに振る〞という表現は、長年にわたってあまりにも不用意に使われてきたとわたしは思う。特に、スライスに悩むゴルファーが、問題の原因であるアウトサイド・インのスウィングを直すためにおこなう矯正法に関してそれが言える。ゴルファーは、「(時計の文字盤の) 2時に向かってスウィング・アウトしろ」と口うるさく言われてきた。これはまるで、ゴルファーが抱くあらゆる問題の万能薬のようだ。しかし、そうやってスウィングすることは、実際には万能薬でもなんでもないのだ。インサイド・アウトのスウィングを採用することは、ボールを打つ際に体の大きな筋肉ではなく、手がはるかに重要な役割を果たすと考えられていた、一時代前の理論への回帰なのである。

さて、安定したショットを打つ上級者のスウィングは確かにインサイドからインパクトに向かうが、その程度はおそらくホーガンほど顕著ではないだろう。この上級者は、クラブヘッドがアークを描いてボールに向かう際に、自分のスウィングはいくぶんインサイド・アウトだと感じると思う。しかし、よく考えていただきたい。もしこれが、本当にインサイド・アウトのスウィングだとしたら、このゴルファーが作るディボットはホーガンの場合のようにターゲットに対してスクエアか、あるいは、ターゲットの右を向いていなければならないことになる。クラブヘッドは理論上は、インパクトのエリアでわずか数インチだけターゲット・ライン上にあるだけで、そのあとはアウトサイドではなく、インサイドに自然に戻るのである。その結果のショット・パターンはおおむね真っ直ぐであり、サイドスピンはほとんどかからない。だから、フェードを打ってもドローを打っても、上から見た軌跡は最小限の膨らみしか見られないのである。

最近のゴルフボールは旧来のものに比べてはるかに真っ直ぐに飛ぶようになっているから、この傾向はさらに顕著だ。トム・ワトソンやリー・トレビノのようなプレーヤーは、自分たちが初めてツアーに参戦した当時に比べて、最近のボールは球種を変えて打つのが難しくなっているとこぼす。これが、現代のゴルフ界に正真正銘のショット・メーカーが少なくなった理由の一つだろう。

しかし、そうだとしても、有能なゴルファーは定期的にショットを工夫して、状況に応じてフェードを打ったりドローを打ったりしなければならない。こうしたゴルファーは、イメージしたショットに応じてインサイド・アウトの軌跡の角度を変える。さらに彼らは、普通より大きなフェードを打つときには左を向き、大きなドローを打つときには右を向くことによって、体のアラインメント（方向取り）を調整する。また彼らは、バックスウィングのトップでクラブフェースの向きを変えて、ふだんよりもオープン、あるいはシャットにすることができるのである。もちろん、インパクトでもそれができる。ショットの形を決めるには、練習と経験によって培われた手のフィーリングが必要だが、イメージしたショットをみごとにやってのけたときの快感は格別である。

だがここで、ひとこと言っておきたい。それは、ディボットが極端にターゲットの左方向を指す腕の悪いゴルファーが、スウィングの矯正に手間取るのと同じように、ディボットがターゲットの右を指す、本物のインサイド・アウトのスウィングの持ち主にとっても、スウィング矯正は容易なことではないのだ。ここで言う極端にインサイド・アウトのフォームとは、そのゴルファーにとって単に〝感じ〟の問題ではなく、クラブを実際にそのように振っている場合である。このようなスウィングだと、ボールをオン・ラインで飛ばすためには、手をかなり激しく使わなければならない。シャンクの主要な原因の一つ……特にショートアイアンのショットやピッチ・ショットの場合……は、過度にインサイド・アウトのスウィングをすることによってボールをクラブのホーゼルでとらえることだが、これは興味深い現象である。

上級者にとっての問題は……とは言っても、果たして初期のホーガンの場合がそうだったかどうかは、われわれは決して知り得ないのだが……ショットが左に出るとき、修正するために本能的に右にスウィングする、つまりインサイドからアウトサイドにクラブを振ることだ。しかし不幸なことに、インからアウトに振れば振るほど、インパクトで手を激しく使うことになるから、理論上はフックボールが出る可能性がこれまで以上に大きくなる。つまり、フェースをスクエアにしようとして手が過度に反応するため、悪循環が起こるのだ。もし手が少し遅れたり、動きが遅かったりすると、今度はクラブフェースがオープンのままインパクトを迎えることになり、右に飛ぶプッシュ・ボールが出てしまう。

インからインへのスウィングは、一般的に言えばボールをリリースするときに、手の動きを抑えて、体をより多く使うことを意味する。これは現代的なリリースの仕方である。スウィングがインサイド・アウト型で、日ごろボールをたくさん打

ホーガンのハイ・フィニッシュは、彼がインサイド・アウトにスウィングしたことを意味するものではない

っているため、リズムとタイミングに加えて経験をとおして手の感覚を身に付けたゴルファーは、確かにかなりの安定度でボールを打つことができることだろう。しかし、全般的に言うなら、手と手首を激しく使う打ち方は、ボールをコントロールして打つことに関しては、あまり信頼できるやり方とは言えない。

これまでに公開されているいくつかの写真が示すホーガンの比較的高いフォロースルーのポジションに惑わされてはいけない。バックスウィングが終了した時点でクラブが収まったスロットよりも、明らかにアップライトな位置にある。このポジションは、ボールが左にいかないようにするためにフィニッシュを高く取る多くのゴルファーの場合のように、インサイドからアウトサイドの軌跡でスウィングしたことを示すものではない。わたしは、ホーガンの腰の水平な動きがハイ・フィニッシュを生む主原因だったと思う。そのわけを説明しよう。ターゲット方向にスライドすることによって、腰はかなり前に来る。ホーガンはこのように腰が前に出ている位置から、腰を回しながら開き、インパクトのあとで体を起こしたのである。この段階でクラブはすでに体のはるか左に来ているが、胴体の上向きの運動によって腕とクラブは高く上がり、あの有名なハイ・フィニッシュに入るのだ。ドライバーやフェアウェイ・ウッドのような長いクラブの場合には、ホーガンのフォロースルーはよりフラットに見えたが、それは錯覚である。ホーガンは、これらのクラブできちんと高いフォロースルーの姿勢を取ったあとで、腕を緩めてクラブを下げた。それが、低い曲線状のフォロースルーのように見えただけのことである。しかしこれは、あくまでも〝事後〟に……つまり、きちんとしたフィニッシュをおこなったあとで……達したポジションに過ぎない。まず左にスウィングし、その後ハイ・フィニッシュに入るのは、フェード打ちのゴルファーの典型的なフォロースルーのポジションなのである。

ホーガンは、スウィングプレーンはダウンスウィングで傾斜が緩やかになるとはっきり語っている。わたしは基本的には同感だが、少しばかり違った見方をしている。傾斜のより急なプレーン上でテークバックして、ダウンスウィングで傾斜のより緩やかなプレーン上にクラブを下ろすゴルファーのほうが、ダウンスウィングで正しいプレーンに乗った形が作り易いのではないかと思うのである。ホーガンのフラットなバックスウィングのプレーンと、トップにおけるダイナミックな切り換えは、アドレス時にできたプレーンの線のあまりにも下の部分で……これは、大半のゴルファーには位置が低すぎる……クラブがボールにアプローチしているような観を呈している。ダウンスウィングではガラス板はアドレス時よりターゲット

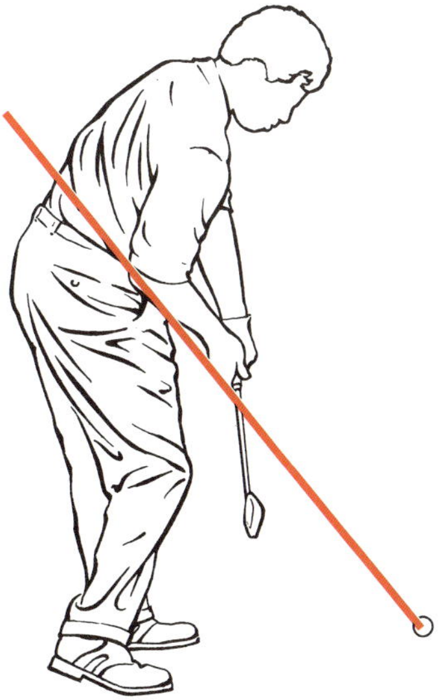

クラブヘッドがプレーンの下にあるということは、スウィングが極端にインサイド・アウトであることを示す

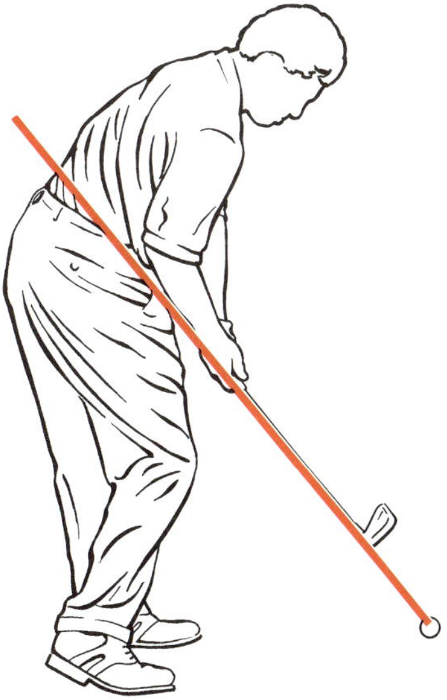

スクエアなアプローチ。クラブヘッドは手より外にあり、アドレスのプレーンに平行か、いくらかその上に来る

の右を向いているというホーガンのイメージは、ダウンスウィングで彼の腕とクラブが、テークバックで描いた線より内側かつ後ろに来ているような印象を与える。このイメージは、スライスを直そうとしているゴルファーには役に立つかもしれないが、フックに苦しむゴルファーの問題はさらに深刻になるのではないか、とわたしは思う。ホーガンは、トップでクラブフェースを十分にオープンにすることを考えついて初めて、正しいプレーンより下からインパクトに向かうスウィングの埋め合わせをして、フックの悩みを解消することができたのである。

わたしは、クラブはダウンスウィングで、アドレス時にできたシャフト・プレーンの線に対して平行に、あるいはわずかにその上側を走り、その後インパクトでその線に合流すべきだと考えている。全体的なスウィング・プレーンの手引きとして、アドレスでできたシャフト・プレーンを利用するアイデアに、ここでもう一度改めて触れておきたい。ダウンスウィングの中間地点あたりからは、クラブのどの部分も当初のシャフト・プレーンより下がってはならないと思う。もしそれより下がると、クラブヘッドは極端にインサイドから（つまり、過度に浅い角度でボールにアプローチする形で）、ゴルファーのあまりにも後ろにできた軌道上を走ることになるというのが、わたしの見方である。この場合、クラブヘッドはいわば閉じ込められた状態になり、もちろんホーガンのケースはべつだが、立て直しを計るのはふつうの人間には極めて困難なのである。これは、ビデオを使ってチェックできる。まず、アドレスのポジションを吟味する際に、水性マーカーを使ってスクリーン上にクラブのシャフトをとおって上に抜ける直線を描く。つぎにダウンスウィングの中間地点付近で、クラブヘッドの位置が果たしてその線の下に来るか、あるいは上に来るかを確かめるのである。

ダウンスウィングからインパクトに入るときに、クラブがこの線に対して平行か、あるいはそのすぐ上に来ていて（わたしは来ているべきだと考える）、グリップエンドが左に走っていれば、クラブヘッドはインパクトに近づく際に、手より外に来

ニック・プライス

る。アメリカのプロ選手はこれを、ヘッドが〝遅れる〟のではなくて〝体の正面を走る〟と表現している（インパクトでシャフトが元のラインと重なっているかどうかチェックすること)。参考までに言うと、インパクト直前のクラブの位置は、テークバックが始まる直前にあった位置とほとんど同じでなければならない。いずれの場合も、クラブヘッドは手より外側にある。わたしは、インパクトに近づく際にクラブをこのポジションに収めることができれば、ボールをスウィートスポットでスクエアにとらえる可能性は非常に増すと強く感じるのである。

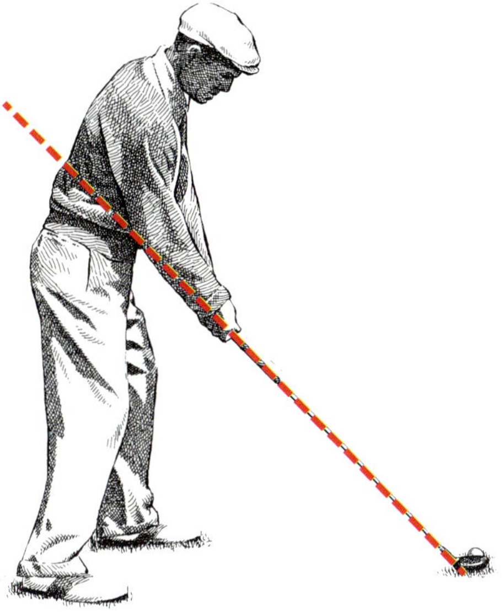
アドレスにおけるホーガンのシャフト・プレーン

ボールを打つ技術にかけてはホーガン並みと言われるニック・プライスのスウィング（左頁）に、シャフトのこの動きの典型を見ることができる。ニックのテークバックのプレーンはわずかにアップライトで、ダウンスウィングのプレーンはよりフラットだ。クラブはプレーン・ラインに対して平行でラインの上に来るが、インパクトで元のラインに戻る。ニックのシャフト・プレーンは、インパクトではアドレス時の角度に基本的にマッチするが、スウィング中、クラブは決してこのプレーン・ラインより下にはいかないのである。

もちろんこれは、インパクト・ゾーンに入る際に、クラブのどこか一部が当初のプレーン・ラインより下に来ればよいショットができない、という意味ではない。ホーガンがいい例だ。ホーガンはインパクトでプレーン・ラインに乗せる前に、クラブをまさしく元のラインの下に持って来ていたのである(右イラスト)。しかしそれは、ホーガン並みのスピードと敏捷性、そしてインパクトで

アドレスのプレーンより下からインパクトに入るホーガンのダウンスウィング

多くのトップ・プレーヤーの場合、特にドライバーを使うとき、シャフトはインパクトでアドレス時より高い位置に来る。アドレスに比べてインパクトの手の位置は高く、背骨の角度はより垂直である

体を起こして後ろに反らすのが、ドライバーのパワーを増す一つの方法

クラブフェースをスクエアに保つためにクラブを手と腕で勢いよく左に振り抜く能力があって、初めて可能なことだったのである。

わたしが教えてきた上級者のなかには、ダウンスウィングでクラブヘッドがプレーン・ラインより下に来て、インサイド・アウトの動きに拍車をかけるという、このホーガンの特徴を持ち合わせた者がよくいる。彼らは頻繁にプッシュ・ボールやフックを打つか、あるいはアイアンでボールに正しくコンタクトできないといった症状に苛まれる。クラブをプレーンより下に持っていくホーガンの癖は、スウィングがもっと大きくて締まりがなかったプロ生活の初期には、かなり大きな問題だった。極端な手首のコックとスウィングのスピードのせいで、ボールに対するフラットでインサイド・アウトのアプローチのマイナス面が極端に出た。つまり、完璧なタイミングでボールを打たないと、自分が忌み嫌うフックが頻発したのである。

しかしわたしは、インパクトでシャフトがプレーン・ラインよりもアップライトで、手が元の位置よりも高い位置に来ているトップ・プレーヤーを見ることがよくある点を、指摘しておかなければならない。もちろん、彼らはそれを一貫しておこなっているわけで、これは明らかに重要な要素である。ボールをティから払って打ち、アップライトの軌道で高く飛ばそうとして、ゴルファーがドライバーを打つ……いや、炸裂させると言おうか……場合、つぎの一連の状況がしばしば目に入るものだ。一般的に言うと、まず背骨の角度が少し変わる。つまり、より垂直になるのだ。こうしたゴルファーは、インパクトでクラブをリリースして腕を伸ばす際に、両足を踏ん張って体を起こす。現代のゴルフでは、じつに多くのゴルファーが45インチあるいはそれ以上のドライバーを使ってボールを高くティアップするから、これはよく目につくシーンである。43インチのドライバーのほうが、はるかに楽に背骨の角度を保つことができるが、この長さが標準だった時代はさほど前のことではない。今日のゴルフはパワーゲームであり、多くのゴルファーは渾身の力を込めてボールを叩く。インパクトで体を起こしたり、体を反り返らせたりすることは、確かにパワーを生む一つの方法ではある。しかし、それではショットのトータル・コントロールは期待できない。

インパクトでシャフトを元のラインに合わせるのは、大変結構な目標だとわたしは思う。安定性と正確性、そして距離のコントロールが主目的であるアイアン・ショットの場合、これは特に重要である。ドライバーはよく当たるが、アイアンやピッチング・クラブのショットは平均的であるゴルファーがいるのは、このためである。

さて、ダウンスウィングのプレーンや角度の談義で読者諸氏が混乱しては困るので、ここでひとこと注意しておきたい。この点についてわたしが敢えて意見を述べる理由は、スウィングのなかでなにが起こり、なにが起こらなければならないかという点に関する理解の一助となるためだ。しかし、本著で得たアイデアを試すのは練習場だけにして、決してコースでは考えないでいただきたい。インパクトで起こることは、その前に発生したことの総決算であり、肉体的にコントロールすることはできない。もちろん、スウィングを改造しようと思ったときに、インパクトで自分自身のスウィングになにが起こるかをチェックするのはよいことだ。ディボットやボールの飛び方をチェックすることに加えて、クラブが果たす本当の役割を知るためには、静止画像装置のついたハイスピード・ビデオや連続写真撮影装置が必要だろう。すべてがあまりにも速く起こるため、これらの機器なしにスウィング中になにが起こっているかを確認することは不可能なのである。ビデオがスウィングの検証に非常に役立つ理由は、ここにある。

スローモーションのビデオを利用しないでスウィングを改造しようとする多くのゴルファーは、やっかいな問題に直面することだろう。なぜなら、ゴルファーが自分でしていると思っていることと実際にしていることの間には、ふつう相当な違いがある場合が多いからだ。ホーガンの場合ですら、ときにはそうだったのである。だから、前述したように、本能と感覚だけに頼ってスウィングの練習をすることは、要注意なのだ。

ドライバーの場合は、しっかり叩いて距離さえ出しておけば、狙ったスポットに毎回ピタリとボールを着地させる必要はない。なぜなら、ドライバーで270ヤード飛ばしたショットが、右あるいは左のフェアウェイの端で止まったとしても、ふつうはそう大した問題は起こらないからである。しかし、ことアイアンとなるとエラーのマージンははるかに小さくなければならない。だからわたしは、すべての偉大なプレーヤーは優れたアイアン・プレーヤーだったと主張する。ホーガンの場合は、特にそうだった。ショットに関する純粋主義者たちの多くがいまでも口にするホーガンの生涯最高のショットは、メリオン・ゴルフクラブで

鏡の前で練習すると、インパクトの正しいポジションがわかる

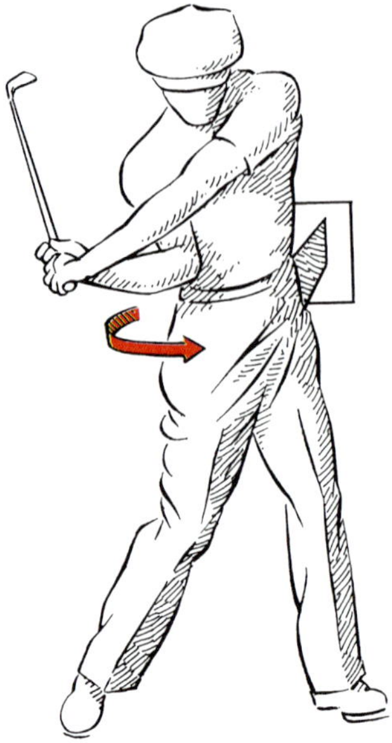

ホーガンは腰を激しく左に回してダウンスウィングを始める感じを重視した

催された1950年度全米オープン選手権で、210ヤード先の最終グリーンに向かって放った1番アイアンのショットだった。ホーガンは完璧なショットを放ち、ボールはカップの左奥40フィート（約12メートル）の地点にオンした。翌日おこなわれるプレーオフに出場するためには、最終ホールをパーで上がらなければならない。彼はこのホールをみごとパーで上がり、プレーオフで勝って、その年の全米オープンを制覇したのである。そう、ホーガンはじつに際立ったアイアン・プレーヤーだったのである。

アイアンはスコアメイクのためのクラブだから、正確性が肝心だ。狙ったとおりの距離を出し、しかも方向性に寸分の狂いがあってはならない。わたしの考えでは、インパクトでシャフトがアドレス時のプレーン・ラインに近づけば近づくほど、正確性を達成する度合いは増すのである。手と目の連携運動に優れ、ダイナミックにスウィングするゴルファーなら、ボールを高くティアップしてドライバーで打つ際には、アップライト過ぎるシャフト・ラインをインパクトで調整できるだろう。だからわたしは、そのような打ち方に頭から反対しようとは思わない。しかし、アイアン……それも、特にボールをできるだけカップの近くにつけるために、正確さとコントロールが求められる5番アイアンからウェッジまで……の場合、プレーンの修正ははるかに難しい。だが、単にクラブを元のプレーン・ラインに戻し、背骨の角度を変えずにインパクトしようと意識するだけでも、ショットの安定性はかなり増すのである。シャフトを鈍角に構え、手の位置が低くて体に近い形のアドレスを想像してみよう。これは、理想的なインパクトのスロットを作る可能性を高め、少なくともボールをヒットするまでは、アドレス時の背骨の角度を維持することを保証する優れた方法である。ニック・プライスはこれをみごとにやりのけている。ゴルファー諸氏は、鏡に向かってスウィングしてインパクトで止め、このとき写るシャフトと手の低いポジションをよく観察して、インパクト時のプレーンに戻る際のフィーリングをつかんでいただきたい。

トップで腰をスライドさせて、椅子に腰かけるような姿勢（シットダウン・ポジション）になったホーガンのスタイル

椅子に腰かけるような姿勢（シットダウン・ポジション）になるサム・スニードのスタイル。ホーガンより左への体重移動が少ない

ホーガンは「ダウンスウィングは腰から始まる」と書いている。彼は２つの重要なポイントを挙げることによって、この点を強調した。つまり、「ダウンスウィングを始めるには、まず腰を回して左に戻すこと」と、「腰の動きは速ければ速いほどよい」の２点である。わたしは、この２つのコメントは誤って解釈されており、そのため長年にわたって多くのゴルファーの混乱を招いてきたと思う。ホーガンは「左足に体重を移すためには、体の十分な前方への水平運動がなければならない」と述べることによって、彼の主張を裏づけている。だが、体のこの水平運動に関する十分な説明が、あるべき部分で出てこないのである。例えば特にホーガンが、樽のなかでスウィングするゴルファーの腰を伸縮製のあるベルトで左に引いたり回転させたりするイメージを自著で描いた際には、解説があって当然だと思うが、見過ごされている。ホーガンのスウィングをフィルムで見れば、腰が左に回る前に彼の体は顕著に水平にスライドしていることがはっきりわかる。

ホーガンは腰を左に戻してダウンスウィングを始めることの重要性をしきりに強調していたが、体のこの動きの意味を理解することは大切だ。しかし、バックスウィングで体を正しくコイルできない数多くのゴルファーがホーガンの勧めに従って腰を回そうとすれば、厄介な問題に巻き込まれる。体を十分にワインドアップしないで腰を左に戻そうとすると、これらのゴルファーの上体は伸び上がり、背骨の軸が前方にぶれて、その結果ダウンスウィングのプレーンは急勾配でアウトサイド・インになってしまう。その結果、ゴルファーはクラブフェースを上からボールに叩きつけることになり、ドライバーのショットはスライスかプル・ボール、あるいは弱々しい〝テンプラ〟で、ディボットは左を向く。このような動作は、プロが言う〝オーバー・ザ・トップ〟（ダウン・スウィングで右肩から突っ込むスウィング）であり、とてもよいゴルフにはつながらない。どうやらホーガンは、ターゲット方向へ自分の腰がスライドすることに気がついていなかったようだ。これがバ

ダウンスウィングの中間地点で、ホーガンの腰はターゲット・ラインに対してまだスクエアである

ックスウィングを完了する直前に起こっていたことは、スローモーションのフィルムを見ればただちに確認できる。ホーガンの場合、これは非常に力強い動作であり、両脚を折って椅子に腰かけているような格好に見えた。これは、ボールを打つ技術に長けた多くのプレーヤーに共通して見られる形である。ホーガンは腰を大きくスライドさせたため、中腰の姿勢はサム・スニードの場合とは異って見えた。スニードはホーガンよりボールの後ろで体を回し、スウィングのトップで右サイドに体重を乗せていた。したがってスニードの体は、ダウンスウィングが始まってもバックスウィングほどには水平に動かなかった。ホーガンの場合は、スニードより早く体重を左サイドに移したと言ってよかろう。

さて、ホーガンは自分のダウンスウィングは下半身から始まると説いたわけだが、それはダウンスウィングについてトップ・プレーヤーの誰もが考えたことだ。ホーガン個人にとっての正しいダウンスウィングへのカギは、まず腰を回して体の前方への動きを開始することだった。ジャック・ニクラスは「ダウンスウィングは下の方からコイルをほぐすことから始める」と言っているが、これは言い得て妙である。最高のプレーヤーたちは、このニクラスの発言内容と似たような、重要なカギになるいろいろな考え方を実践してきた。ホーガンの場合、体はつぎのような順序で動いた。まず、ダウンスウィングの初期に体の水平運動をおこない、腕が下に向かって動いたのち、勢いよく……腰だけではなく上体も一緒に……胴体全体をフル回転させてボールを叩く。インパクトに至るホーガンの体のこのような使い方は、これまでに見られた動作のなかでもっともダイナミックで爆発力のあるものだ。スチール写真を見るだけで、ゾクゾクさせられる。

胴体全部が回転するという考え方は、非常に結構だとわたしは思う。ホーガンをはじめとする多くの優れたプレーヤーが、それを実行した。ダウンスウィングではいろいろなことがあまりにも速く起こるから、バックスウィングがどこで終わり、ダウンスウィングがどこで始まるかをはっきりさせるのは難しい。両方とも、お互いのれっきとし

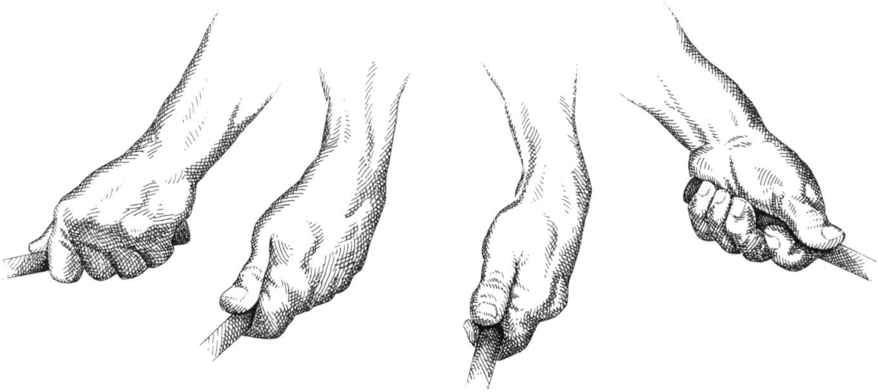

左手首の〝外転運動〟。下を向いていた手の平はインパクトでは上を向く

た一部だからだ。ホーガンが強靱な臀部と腰の筋肉を、トルクをほぐしてターゲットに向けて素早く回すことに集中したことは確かだ。しかし、それは彼が思っていたよりははるかにあとで起こった、とわたしは考えている。左上のイラストを見れば、ホーガンの腰はダウンスウィングの中間地点ではまだスクエア、つまりターゲット・ラインの方向を向いており、開いてはいないことがわかるだろう。下半身のアクションは、特にトップにおける切り返しのエリアでは、スウィングのパワーとバランスへの主要なカギである。だから、正しい動きを入念に研究することをお勧めする。おわかりいただけると思うが、下半身のアクションにはダウンスウィングを始めるための単なる腰の回転以上のことが求められるのである。この点は、これから説明しよう。

事故の前と後のホーガンのスウィングを検証していて、わたしは再起後の彼のスウィングは確実にコンパクトになっており、クラブフェースは以前よりもさらにオープンになっていることに気がついた。この点については、バックスウィングの章ですでに語ったとおりである。また、彼の脚の動きはいくらか控え目になったと思う。おそらく、交通事故で脚に負った怪我のせいで、事故前のように脚を激しく使うことを控えたためだろう。自分が編み出した〝秘訣〟に、コンパクトにしたスウィングと控え目になった脚の動きが加味されて、ホーガンのスウィングはタイミングがよくなり、フックがなくなり、全体的なショットの安定性は増したとわたしは考えている。トーナメントの成績がそれを証明している。要するに、彼のスウィングはよりシンプルでより効率的になったのだ。以上は単なる理論に過ぎないが、当たっている部分もあるのではないかと思う。事実わたしは、上級者が下半身と腰の控え目な使い方をマスターしたとき、ショットの安定性が著しく向上するのをこの目で見てきたのである。

能力差にかかわらず、ゴルファーはスウィングの細部に関する数多くのヒントを手に入れることができる。これらのヒントのなかには、納得がいくものもあれば、とっぴと思われるものもある。才能に恵まれ、忍耐強かったホーガンは、彼にと

〝秘訣〟によってホーガンは、インパクトへのアプローチでクラブヘッドを開くことができた

要注意！　〝ストロング・グリップ〟で握るゴルファーが左手の〝外転〟をやり過ぎると、フェースはインパクトで閉じてしまい、フックを多発することになる

って正しい問題解決のためのカギを見出した。彼は、左手首を外に回すことの重要性を詳しく論じているが、彼の理論によると、インパクト・エリアで手の平は下から上を向き、手首の骨が隆起する。つまり、左手はここで、手首が外側に湾曲し、弓なりの形になるのである。彼は事実上、手の甲をクラブフェースと考えた結果、このような手首の外転運動によってボールの弾道と飛形をコントロールすることができるようになったのである。ホーガンは弾道こそ、自分がボールを正しく打っているかどうかを判断する究極の尺度と考えた。練習中のホーガンを見たことのある者は、彼のショットが毎回まったく同じ弧を描いて飛んでいくことに驚嘆させられたと語っている。

ここで、手首の外転運動について記憶しておいていただきたいことを、２点ほど記しておく。まず、この運動はかなりの練習を要するものだという点と、多くの上級者がこれを試すと最初はフックを出すか、あるいは極端に左に引っかけてしまうことが多いという点だ。ホーガンが手首を〝外転〟できたのは、主として、(左手の指関節はほとんど見えず、右グリップはおおかた指だけで握った) 極度の〝ウィーク・グリップ〟だったからだ。このようなグリップは、彼の有名な〝秘訣〟と相俟って、ダウンスウィングでクラブフェースを非常にオープンにしてインパクトを迎える理由の一部となった。事実、見ている者がインパクトでスクエアにできるわけがないと確信するほど、ホーガンのフェースはオープンだったのである。このままではスライスかシャンクが出る可能性が大きいように思えた。だがホーガンは、手首を外に回すことによってインパクトでフェースをスクエアにしたのである。しかし、〝ストロング・グリップ〟のゴルファーは、もしホーガンが上の写真のなかで誇張して示しているようなインパクトのポジションに入ろうとすれば、手首を外に回すことによって、フェースはインパクトで極度にシャットに入ってしまうのである。

ホーガンは、〝オープンからクローズ〟型のプレーヤーだったと言っていいだろう。これは、クラブフェースがスウィングのトップとダウンスウィングの初期には〝オープン〟（トゥは下を向いている）で、ダウンスウィングではシャット、つまり〝クローズ〟気味に被せ、最終的にスクエアにボールをとらえる選手の呼称である。しかし実際には、その後のホーガンは〝オープンからスクエア〟型と呼ぶほうが、おそらく当たっていることだろう。なぜなら彼のクラブは、〝秘訣〟をマスターしたあとは決して〝クローズ〟にならなかったからである。他のプレーヤーは、〝クローズからオープン〟型の傾向が顕著だ。全米オープン選手権、全英オープン選手権、全米プロ・ゴルフ選手権の三大メジャー大会を各２度ずつ制覇しているリー・トレビノは、史上最高のアイアン・プレーヤーの一人である。その彼のクラブフェースは、トップでは相当〝シャット〟になっている。その後スクエアにするためにダウンスウィングで操作し、フェースの面をオープンにしている。もしトレビノが、ホーガンが勧めるように左手首と前腕を外側に回していたとしたら、ひどいロー・フックを打ったに違いない。しかし現実には、トレビノはよくコントロールされたフェードを打つことにかけては、プロ・ゴルフ界有数の名手だった。トップで〝クローズ〟に構えたおかげで彼は、トレードマークになったあのロー・フェードを打つことができたというわけである。トレビノが風の日のプレーを好んだ理由がわかろうというものである。

一般的に言えば、〝クローズからオープン〟型のプレーヤーは、ダウンスウィングで修正しないと、ロングアイアンで高いボールを打とうとする際に手を焼く。彼らはトレビノのように低い弾道のショットをごく自然に打つ。このタイプのプレーヤーは、スウィングに欠陥があると言う向きもあるだろうが、別の見方をすれば、これはよいプレーヤーならかならず順応しなければならない個人の特性である。トレビノは、オーガスタ・ナショナル・ゴルフクラブでおこなわれるマスターズ選手権ではいつも悪戦苦闘した。オーガスタでは、ティ・ショットで最大限に距離を稼がなければならず、左から右へ飛ぶ高いショットが有利である。キャリーでコースの中ほどにある丘を越えて、ランを稼ぐことが重要なのだ。またロングアイアンでは、固くて傾斜が激しいグリーンに柔らかく着地する、高い弾道のショットがよいスコアを生む。トレビノはオーガスタ・ナショナルに合う弾道を持ち合わせておらず、それが自分にとって不利なことをよく承知していた。しかし彼は全英オープン選手権では毎回大活躍し、ロイヤル・バークデールとミュアフィールドで催された1971年度と72年度の大会を連覇している。全英オープンでは風が大きな障害になるのだ。トレビノはまた、例年難しいコースで開催される全米オープン選手権と全米プロ・ゴルフ選手権で、それぞれ２度ずつ優勝している。彼は優れたコントロール・ショットで、ボールを常にフェアウェイの狙いすましたスポットに運んだのである。トレビノのショット・コントロールの能力は、フェアウェイが狭くてラフが深い、難しいコースに合っていたのだ。

ゴルフには妥協は付き物だ。勝負の結果が、いつも自分の思うようになるとは限らない。トレビノは意思の強いプレーヤーだった。テキサス西部の風のなかで育って自分なりの技術を身に付けた彼は、自分の流儀を貫き通し、輝かしいキャリアを築き上げたのである。

話を少し脇道にそらせて、ゴルフ哲学について語る格好な機会が来たようだ。もし技術を磨きたいと願うなら、われわれは誰もが哲学を持つことが必要だ。これから述べることは、そうした哲学を身に付けるための準備の仕方について、読者諸氏により明確な指針を示すと思う。すでに述べたとおり、ホーガンとまったく同じようにスウィングすることも、また、全体としてホーガンのスウィングに似た格好をすることすら、誰にとっても肉体的に不可能である。ホーガンのスウィングは、彼がキャリアをとおして繰り返しおこなった手直しの結果、長い歳月を経て、ついにその細部と全体のフォームが誕生したもので、猛練習とさまざまな実験、そして根気を要した。自分自身で実験台に上ってしきりに実験を繰り返し、ときには失敗したが、ホーガンは常に目標を失わなかった。彼にはプラン、それも長期計画があったのである。

スウィングを抜本的に改造しようとする場合には、頭を使って系統立てた練習をしないと、ゲームに支障を来す場合がある。あるゴルファーのスウィングがすべてのゴルファーに適することはないこと、そして自分自身にとって必要なことを中心にスウィングの理論やヒントを発展させていくことを、常に念頭に置くことが肝心なのである。ホーガンはそれをおこなった。あらゆるレベルのゴルファーは、彼を見習ってほしい。

ここで、一つのシナリオを想定してみたい。〝クローズからオープン〟型の才能ある一人のゴルファーが、わたしのところにレッスンに来たとしよう。このゴルファーは、クラブフェースはトップで〝クローズ〟になっていることは確かだが、ボールをほぼ真っ直ぐに打っていると思っていただきたい。つまり、ショットは安定しているというわけだ。おそらくこのゴルファーは、風の強い環境でゴルフを覚えたか、ショットを巧みに配分することが必要な狭いコースで育ったのかもしれない。スウィングに伴う動作は、そのゴルファーのゴルフ・ライフの初期に形成されるものであることを、忘れてはならない。

一人の人間がゴルフを始めたときに見せる特徴は、良しに悪しきにつけ、一生つきまとうものだ。ニック・プライスに今日見られるミス・ショットの原因になりがちな傾向は、いくぶん少なくなりはしたが、わたしが初めて彼のスウィングを見た12歳のころと同じである。たとえば、いまでも彼はときどき脚を過度に使い過ぎる。ニックとわたしはこうした問題に継続的に取り組んでいるが、この癖がいつ再発してもおかしくないことを、お互いに承知している。癖はけっして抜けないという大まかな法則を念頭に置く一方で、上記のような、つまり本来〝クローズからオープン〟型のゴルファーがわたしにレッスンを求めて来たときは、注意しなければならない。ロングアイアンのショットの弾道が低すぎてキャリーが少なく、ボールはグリーンに乗っても止まらない、と言って助けを求められたら、どのように指導すべきだろうか。

わたしとしては、いくつかの選択枝を提案することだろう。まず、7番ウッドを使うこと（これは、このゴルファーが自尊心に負う傷に耐えられれば、の話だが）、問題のクラブのロフトを増やすこと、もっと軟らかいシャフトを使うこと、あるいは打ち方を変えること、などである。これらのアイデアのどれか一つか、いくつか、あるいは全部が、問題解決に役立つことになるだろう。

まず、このゴルファーが抱えている諸々の問題について話し合い、他の方法を試したあとで、技術面の修正に専念すると決めた場合を考えてみよう。そうなるとわれわれは、首尾よくクラブのロフトを増して高いショットを出すために、インパクトでクラブフェースをもっとオープンにする方法を考えなければならない。さて、このゴルファーはグリップを大幅に変えるべきだろうか。だがこれは、慣れるまでにおそらく長い時間がかかるだろうし、このように極端な変更にこのゴルファーがどうしても馴染めない場合も考えられる。では、ホーガン並みにトップでクラブフェースをオープンにすべきだろうか。しかし、これは危険な賭けになるかもしれない。あるいは、このゴルファーの問題にまったく異なった角度から光を当てるべきなのだろうか。

直感的に言えば、このプレーヤーはスウィングをほんの少し修正するだけで、もっとよい形でインパクトに入ることができるのではないかと思う。優れたプレーヤーの大半は、なんらかの形でスウィングを修正している。ホーガンもそうだったが、彼は文句なしに優秀なプレーヤーだった。さて、想定上のこのプレーヤーは、十分なロフトがあるミドルアイアンとショートアイアンを打つ場合は、たぶんまったく問題がないことだろうし、事実、非常に正確なショットを打っているに違いない。だから、キック・ポイントが普通より低いシャフトで、かなりロフトのあるドライバーに換えるだけで、このプレーヤーはより高いキャリーの球が打てるようになると思う。わたしがこの点についてある程度詳しく述べるのは、スウィングを変えるためには一定の過程を経る必要があるからだ。もっとも易しくて、速効性があり、永続性のある解決策を発見するまでには、一定量の実験が必要だ。ホーガンは確かに卓越したプレーヤーだったが、だからと言って彼の説くことをそのまま真似るのは、不可能なことなのである。

〝クローズからオープン〟型のこのゴルファーに対するわたしの提案は、トップで左手首に先に述べた〝カップ〟を作ることによって、クラブがインパクトに入る際に手首が〝内転〟する（つまり、指関節が上を向く）感じを出すことだ。これは、ホーガンがやってはいけないと言ったことだ。これは明らかに、手首を弓状に曲げて外に回せと言うホーガンの説の逆をいくやり方だからである。わたしは、この想定上のプレーヤーは、インパクトで左手の時計の文字盤が空を向いている（実際にはそうはならないが）感じを持つようにすれば、ダウンスウィングで外転運動を効果的に抑えることができる可能性を論じているのである。もちろんこの場合、ボールとのコンタクトの段階で、両手が相変わらずクラブヘッドの前に来ていることが前提である。腕のいいプレーヤーの大半はこれができている。手首を〝カッピング〟した感じが出れば、フェースを開き、ロフトを増やすことに

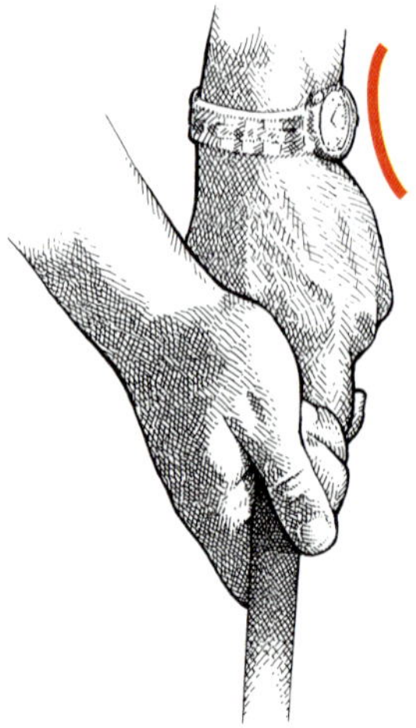

インパクトで左手首に〝カップ〟を作ることがプラスになるゴルファーもいる

なり、クラブヘッドは正しくリリースされる。リリースのタイミングが遅れると、クラブヘッドの正しい動きが阻害され、フェースのロフトが殺されてしまうが、これこそこのゴルファーがしてはならないことなのである。多くのゴルファーは、インパクトでフェースをスクエアあるいはオープンにするために、クラブヘッドのリリースのタイミングを遅らせようとする。これはボールが左に出るのを避けるための修正だが、多くの場合はこれをやり過ぎて、ボールを右に押し出すことになる。

〝クローズからオープン〟型のこのゴルファーには、わたしは上記のやり方を試すことを強く勧める。なぜなら、このゴルファーの長いゴルフ人生において、体の動きはすでに定着しているため、いろいろな面を極端に変更することは本人の感覚系統にとってショックが大き過ぎると思うからである。まったく新しいフォームのスウィングに違和感を感じないようになるまでには、長期間にわたる骨の折れる練習が必要になろう。さらに言うなら、このプレーヤーは自分のゴルフを恒久的に損なうことになってしまう場合もある。偉大なプレーヤーを含むすべてのゴルファーは、ダウンスウィングでかならずしも手首を外側に回す必要はない。手の〝外転〟運動は、主としてホーガンの特徴だったと言ってよいのだ。また上級者の場合は、ホーガンの場合のように手はインパクトでボールの前に来ている。しかし、ホーガンとの類似点はおそらくそこで終わることだろう。インパクトで手がクラブヘッドの前にあったからと言って、単純にゴルファーが手首を外に回しているとは言えないのである。

これで、ホーガンの勧めるヒントが、すべてのゴルファーにマッチするものではないことが、読者諸氏にわかっていただけたと思う。あらゆるゴルファーが一様に手首を〝外転〟する必要はないし、同じような理由で、すべてのゴルファーが左腰を戻すことでダウンスウィングを始める必要もないのだ。ゴルファーが、ホーガン……あるいは他のプレーヤー……のレッスン書を読むとき、学ぶべきものを慎重に選ばなければならない。手に入る膨大な量の情報をじっくりと整理して、自分に合うものを発見することが肝要なのである。洞察力と識別力を働かせてほしい。自分の現在の状況に即応するものを選び、その他のものは捨てることが望ましい。また、あることを試す場合は、入念に取り組むことだ。忍耐心を持ち、実験を楽しむこと。すべては、よりよきゴルフを探求する旅の一部なのである。しかし一方では、主体性を持って練習に取り組み、ボールをとらえたときの手応えと弾道を究極の指針にすることが肝心である。

自分自身がおこなってきたスウィング研究をとおして、わたしはフル・ショットのインパクト直後のホーガンの手の動きを検証してきた。彼の左

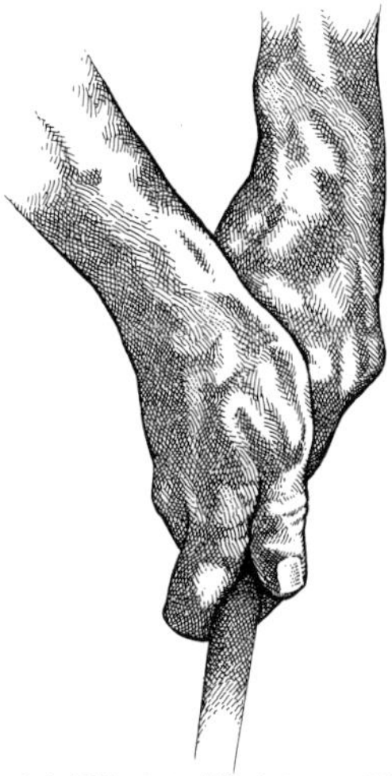

インパクトで左手が凸型になり、〝外転〟している状態。

インパクトの直後に左手首に〝カップ〟ができた状態

手は、インパクトの瞬間に弓状に曲がりながら外側に回転していくポジションから、その直後は右手と腕がリリースされると同時に、左手首に〝カップ〟ができるポジションへと素早く移っている。これは、フォロースルーを完了した時点の彼の左手首に明白に見ることができる。両腕にはゆとりがあり、左手首には右手首とそっくりな〝カップ〟ができているのだ。彼の驚異的なスウィング・スピードを考えると、ウィーク・グリップではさすがのホーガンの場合でも、手首が〝外転〟した状態（つまり、弓状に曲がった形）をインパクト後のわずかな間だけでも維持すれば、ひどいフックにつながっていただろう。フックを抑えるためには、インパクトで右腕と右手の働きを抑えなければならなかったが、ホーガンはそれを望まなかった。そこで彼は、インパクトの直前までフェースを開いておいて、そのあと左手を〝外転〟させたのだった。この運動によって、フェースはインパクトでスクエアになるし、そしてボールがクラブフェースを離れるのとほぼ同時に、ホーガンは左手首に小さくカップを作ったのである。わたしの考えでは、この動きが手首の過度の〝外転〟と、フェースが過度にクローズになるのを防いだのだ。その結果、ボールはクラブフェースをスクエアに

フィニッシュでは、左手首の〝カップ〟の状態は右手首と同じ

ホーガンは、自分の手がここに示されたような形で交差することを望まなかった

ホーガンは右手が常に左手の下に来ていることをイメージした

離れ、正しい弾道で飛んだのである。ホーガンは自分の両手はスウィング中は決して交差していないと考えていた。しかし実際には、ボールを打ったはるかにあとではあったが、彼の両手は確実に交差していた。スウィング中、自分の右手は左手の下を動いているとホーガンは考えていたが、その感じを彼が誇張して説明している様子は右上の写真でご覧いただけよう。

考えてみると、ホーガンはヒッティング・エリア、つまりインパクトで、クラブフェースの動きを少なからず操作している。しかし、彼は手の感覚が非常に敏感だったから、インパクトにおけるクラブヘッドの動きにまったく本能的に反応できたに違いない、とわたしは思う。彼はこの動作を体に刻み込んだが、それは無数のボールを打つことのみが可能にした、他の追随を許さない成果の一つだった。

もう1点、〝外転〟運動について述べておく。つまり、いくぶんダウンブローにボールを打ち込んでディボットを取ることが必要なアイアンの場合、この運動はより易しいと同時に、より望ましいという点である。しかし一般的なルールとして、ドライバーを使うときにはクラブヘッドを十分にリリースすることを念頭におくのが望ましい。ドライバーの場合は、ボールはティから払うようにして打つべきであり、ディボットは取ってはならないからである。ドライバーのグリップ・エンドがインパクト・ゾーンで、アイアンの場合のようにクラブヘッドをリードせず、ほとんど後ろ……つまりヘソの方向……を指している状態を思い浮かべてほしい。べつの言い方をすれば、ドライバーは少しアッパー・ブローに打たなくてはならず、そのためには、クラブヘッドはリリース後は手の位置より前に来ていなければならないのだ。ホーガンの場合にも、この傾向はある程度見られたが、写真にそれが窺える。

ドライバーでインパクトの理想的なポジションを示すホーガン

インパクトからフィニッシュに至るまでの体の右サイドの動きをつかむためには、右手だけでクラブを振り、実際にボールを打ってみるとよい

インパクトからフォローにかけての、ホーガンの右サイドの強烈な動き

『モダン・ゴルフ』でホーガンは、手に関して大変面白い記述をしている。この点については、本章の前の部分ですでに触れたが、つまりホーガンは、「ショットにパワーを加えることに関して言うなら、わたしは右手が3本あればよかったと思う」と書いているのだ。彼は生まれつき左利きだったため、インパクトでクラブを力強く支えることができたし、クラブフェースがインパクトまでオープンだったため、左手を圧倒する心配もなく右手でボールを力一杯叩くことができた。しかし、ホーガン自身は右手だけでボールを叩いたと思っていたかもしれないが、実際には体の右サイド全体を使っていたのである。だからホーガンは、〝体の右サイドが3つ〟あればよかったと書くべきだっ

インパクトを過ぎて体のバランスをしっかり支える左脚。模範にすべき、秀逸なスタイルだ

たのかもしれない。右手ばかりでなく、右足、右ヒザ、右腰、右腕、そして右肩を含む、彼の体の右サイドがすべて、ボールを打つ際に使われたのだった。これはすばらしい考え方だ。ダウンスウィングの中間地点で正しいポジションを取ったゴルファーにとって、体の右サイドは、投球するときと同じように……とホーガンも記述しているとおり……ボールを叩く際に主要な役割を果たすのである。

わたしはゴルファー諸氏に、体の右サイドを使う感じをつかむために右手だけでクラブを振る練習をし、実際にボールを打ってほしいと思う（左頁写真）。ニック・プライスはホーガンと同じように生まれつき左利きだが、弱いほうの体の右サイドを鍛える方法として右手一本でクラブを振ることを覚えたおかげで、ゴルフが上手くなった。最初はまず、9番アイアンでティ・アップして打つことをお勧めする。短時間のうちに、次第によい感じがつかめるようになっていることに驚くと同時に、体の右サイドが実際にボールを打つ際に大きな役割を果たすことを、改めて認識することだろう。

ここでもう一度、下半身について考察してみよう。今回はインパクトとの関連で考えてみたい。ホーガンは、左脚が弓状に外に反り、体重が左足

フル・ショットをするベン・ホーガン。スピード、パワー、バランス、運動能力の鑑だ

ゴルフのフル・スウィングにおける運動力学リンク ©HumanPerformanceTechnologies,Inc. Patent1998 No.08/709.321

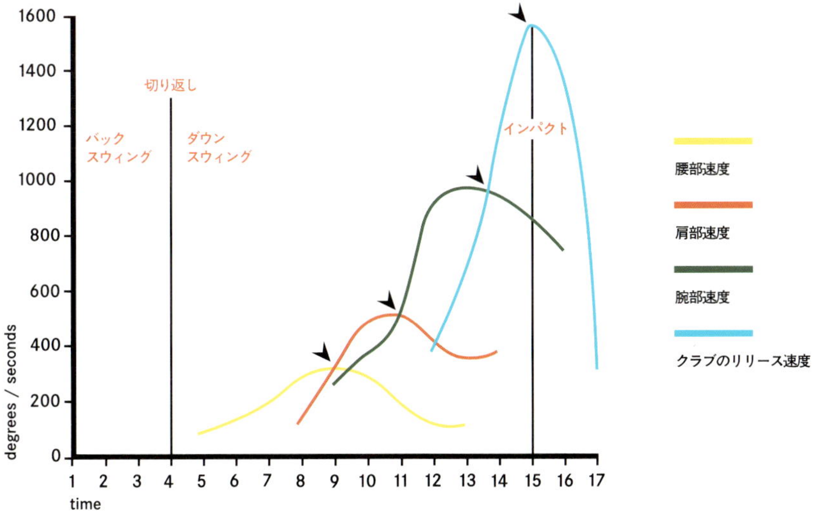

スウィング中のエネルギー伝達に関する生体力学的研究

の外に移動する形が、脚の正しい使い方だと説く（このような考え方は、ホーガンのように脚を激しく水平に動かす場合に当てはまる）。わたしは、インパクトで左脚は全面的に固定させてしまうのではなくて、ボールを叩いたことで生じた全エネルギーを吸収しながら真っ直ぐに伸ばしてゆくべきである、と考えている。左脚は両腕とクラブが激しく回転する勢いに抵抗しなければならない。多くの優れたプレーヤーは、長年にわたってインパクトで左脚が帯革できつく固定されている状態をイメージしたが、今日のプレーヤーもそのような考え方をすべきだとわたしは思う。わたしの意見では、左脚を曲げ過ぎるとスウィングの勢いに対して必要な抵抗が生まれない。ホーガンがスウィングするときは、ダウンスウイングのアプローチで左ヒザが実際にある程度外側に湾曲していたが、インパクトのエリアでは彼が考えていたより早い時点で真っ直ぐに伸びていたことは確かだと思う。左足は、体重がわずかに外側にかかるような形で、地面にしっかりと根を張っていた。いずれにしても、信じられないほど力強くダイナミックな構えであり、あらゆるゴルファーが真似すべき完璧なフォームである。

最後に、クラブヘッドに伝わるパワーを増幅させる諸要素がスウィング中に作り出される仕組みについて、物理の法則に対するホーガンの理解力は尋常ではなかった点を付記しておく。彼はこの法則を自分自身のスウィングに適用した。彼のスピードとパワーは驚異的だったが、左の写真はベン・ホーガンをこれほど優れたショット・メーキングの達人にしたことの本質をあますことなく示している。スピードは腰から肩、腕、手へ、そして最終的にクラブヘッドへと連鎖反応的に増幅されながら伝わってゆくという彼の洞察は、現代のスポーツ科学者が発見しつつあるものとほぼ同じものだ。効果的なスウィングのなかでエネルギーが伝達される過程を分析した、上のグラフをご覧いただきたい。エネルギーの伝達は、つぎのようにしておこなわれる。すなわち、インパクトの前にまず腰の動きが遅くなり、肩にエネルギーを伝達する。つぎに肩の動きが遅くなり、エネルギーを腕と手に伝える。今度は、腕と手の動きがインパクトの直前に遅くなり、エネルギーは肝心のク

バックスウィングからダウンスウィングへの正しい切り返しを学ぶためのドリル

ラブヘッド、そして最終的にボールに伝わってゆくのである。この効率的な動きは、もちろん肉眼で観察できるものではなく、デジタル・コンピュータによる分析によって初めて立証できるのだ。ご覧のように、一つのグラフが頂点に達するとエネルギーはつぎの構成要素に移ってゆく。ゴルフにおける優れたテクニックとは、端的に言えば効率的なスウィングを作ることだが、そのためにはインパクトで最大限のパワーを生むエネルギーの効率的な伝達が必要なのである。わたしはいま、ビデオの他に生体力学による分析をレッスンに取り入れることによって、あらゆるゴルファーのスウィング分析とスウィング効率の向上に役立たせている。その結果、パワーと安定性の向上には目覚ましいものがある。だからこの分析法は、新しい世紀のインストラクションの一部になるとわたしは思う。複雑すぎると思われるかもしれないが、実際にゴルフの学習は易しくなるのだ。なぜなら、この分析法はスウィングのなかの各ポジションを静止した状態として想定する……これは、あらゆるゴルファーがときおり犯すミスだと思うが……のではなくて、〝実際の動き〟を作り出すことを目指すからである。ホーガンは、優れたスウィングに見られる効率の典型である。わたしは彼が使った「(スウィング中の体の各部の) 正しい連鎖運動」という言葉が好きだ。簡単に言えば、これはボールを真芯でとらえたときの、あの快感を生むために必要な、スウィングのあらゆる構成要素が完璧なタイミングで連動することを意味するのである。

80を切るか、それ以下のスコアを出すために

わたしはずっと前から、安定したスウィングを作るとき、ゴルファーはスウィングの各構成要素

の本質とそれらの間の相関関係を認識しなければならないと考えてきた。安定感のある正しいセットアップ（グリップとアドレスの姿勢）ができ上がれば、残る2つの主要な要素は体、そして腕と手だ。これらの要素に別々に取り組み、最終的に組み合わせることによって、スウィングの〝パーツ〟と全体像が総合的に理解できるのである。

ダウンスウィングでは、まず下半身を動かさなければならない。ホーガンが、自分にとってこれは腰を素早く回すことを意味すると強調した点には、すでに触れた。連鎖運動が正しい順序でおこなわれるためには、まず下半身を動かすのは基本的なことであり、この点の重要性はことさら強調しておきたい。

ここで、体の正面で腕を組んでおこなうドリルを思い起こしてほしい。正しい姿勢を取って、バックスウィングの動きに入る。体をフル・ターンさせ、ワインドアップの際に下半身が安定していることを確かめる。この際、腹筋が締まるのを感じること。バックスウィングの完了時に体重を体の右サイドに移すと同時に、左ヒザをターゲット方向に水平に移動させ、そのほぼ直後に左腰も同方向に動かす。このとき、体重が左足のつま先にいくらかかかるのを感じることが必要であり、もっとも重要なことは、左足が地面をしっかりと踏み締める感覚を体感することである。それとほぼ同時に、今度は体重のかかった右足が地面を踏み締めるのを感じること。わたしはこの感覚を、〝足が地面に根を張ったような感じ〟と表現する。下半身を地面にしっかりと押しつけるような気持ちで、地面をいわば跳躍板として利用することによって、スウィングが生む激しいエネルギーに対抗し、フォームの安定性を強化する、力強いポジションである。この場合、体重が左右の足に均等に配分される感じを味わうこと。

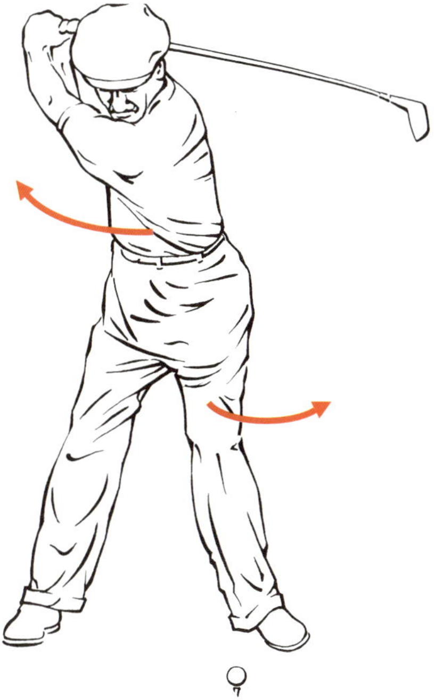

上体をコイル（ワインドアップ）すると同時に体をターゲットの方向に動かす。これによって、ダイナミックなスウィングが生まれる

多くのゴルファーは、両足が体重をこのように受け止めたときの緊張感をまったく感じないで、体重を過度に、しかもあまりにも早い段階で体の左サイドへかけようとするが、これは間違いである。そうなると、脚……そしてさらに重要な地面……は、ダウンスウィングでスウィングのスピードや反復できる軌道を生むために必要なフォームの安定性または反発力を作り出せない。つまり、エネルギーの不十分な転換が生じてしまうのだ。そうなると、インパクトを迎える際に体のスライドを補う運動が必要になる。そのような運動の典型が、手と腕を体に追いつかせるために、上体を後方に反らす動きだ。これは、体の他の部分と比

切り返しのあとは、胴体を素早く回してフィニッシュに入る

べて腰と脚の力が強すぎるため、下半身が過度に先行してしまうジュニア・ゴルファーに、特によく見られる傾向である。その結果、ジュニア・ゴルファーのショットは、インパクトでほとんど真上に上がってしまう。脚の使い過ぎは、ゴルファーに一生ついて回ることがある。パワーとバランス、そしてショットの安定性を達成するためには、下半身の正しい使い方を学ぶことは特に重要である。

ダイナミックなスウィングを作りたければ、トップでは、下半身（左ヒザ）をターゲットの方向に動かす一方で、上体をそれとは逆方向に回す感じを体感することが不可欠だ。この力強い動きは切り返しでシャフトをしならせ、エネルギーを充満させる。ゴルファーはしばしばこの正反対の二方向の動きに気づかないが、この動きは程度こそ個人差はあるが、切り返しで確実に起こっている現象である。ホーガンのスウィングにはこれが顕著に現れている。

ゴルフのスウィングは本来、バックスウィングとダウンスウィングの２つだけで言い尽くせるものではない。われわれは、静止画像のなかの動作を分析するために、このような用語を使う。だが、スウィングというものは、そうではなくて一連の連続運動なのだ。そのなかで上体は、下半身がターゲットに向かってちょうどコイルをほぐし始めるのと同時に、何分の一秒という一瞬の間に、ターゲットと反対の方向に回転する。このダイナミックな動きによってスウィングに強烈な〝てこ〟の力が蓄積されるのである。腕を組むドリル（左頁参照）を使って、切り返しのこの重要な動きを練習してほしい。バックスウィングで上体の筋肉を十分に巻き上げ、伸ばす。そしてつぎにコイルをほどく動きに入るが、ダウンスウィングの初期におこなう体を左へ動かすモーションは、ごくわずかでよい。このダイナミックな切り返しのポジションを数秒間維持し、再び繰り返す。これを数回おこない、そのときに得た感じを思い起こしてみる。切り返しに入ったら、体を少し水平に動かすこと。そしてその際、左ヒザと左腰がターゲットの方向に動いている感じ、あるいはむしろターゲットの右に向かって動いている感じを、ついでにつかんでほしいものである。

ここでもしかしたら、読者諸氏は一つの疑問を抱かれるかもしれない。つまり、体重の左サイドへの移動はどうなるのか、という疑問だ。確かに体重は移動する。しかしこれは、体の左へのわずかな運動に調和した微妙な動きでなければならない。体重移動にこだわりすぎると、体をあまりにも前にスライドさせてしまい、その結果、体の安定性が損なわれ、体と腕の動きがばらばらになってしまう。わたしの意見では、体の水平なスライド運動の程度に関しては、ホーガンは手本というよりはむしろ例外なのだ。彼は、手と腕の驚異的なスピードのおかげで、技術的には欠陥とも呼べる体のスライド運動をうまくやってのけていたのである。つまり、スウィングのスピードが速かったから、手と腕がインパクトで体に追いついたのである。

わたしは、読者各位に両足が〝地に根を張った〟状態を十分に感じ取ってほしいと思う。両足が体重をしっかり支えて、地面をがっしりとつかまえている緊張感を味わってほしいのだ。この重要な〝腰かける〟動き……それは、〝脚を帯革で締める〟と表現してもいいが……はバランスと同時に抵抗をもたらし、スウィングの〝てこ〟の力を増加させる。このような感覚に慣れるため、ここに紹介したドリルの諸要素に焦点を当てて研究してほしい。

ホーガンに関してわたしがかつて読んだことのある、特に詩的で的を射た論評は、「彼と芝との緊密な関係は、まるで恋し合う男女の関係のように密接だった」というものだ。すごいイメージではないか。ホーガンは自分の足がターフにどのように密着するかという点を非常に重視しており、右のゴルフシューズの親指の付け根の膨らみの下の部分に、スパイクを一本よぶんに取りつける必要を力説した。のちに彼は、このアイデアをさらに発展させて、左の靴にも一本余分に、つまり13本目のスパイクを取りつけている。ホーガンは上達に役立つことなら、どんなに些細なことにも興味を抱いた。彼は地面と一体になりたかった。つまり、地面に〝根を張りたかった〟のである。だからこそ、ゴルフシューズのソールに余分なスパイクを埋め込んだのである。このように些細と思え

ホーガンはできるだけ長い間、右足を地面につけていた

るようなことに対する気配りのなかに、われわれの関心を引かずにはおかないこの男の偉大さが窺われるのである。

腕を組んでおこなうドリルをさらに進めよう。前方への切り返しでは、バックスウィングで感じた腹筋の張りを維持することが必要だが、できれば筋肉にさらに強い緊張を感じてほしい。体をわずかに水平に動かすことによって両足が〝地面に根を張った〟形ができれば、この段階で胴体を完全に〝クリア〟するポジションに入ったことになる。腰はここからフィニッシュまで素早く一気に回転する。わたしは腰を〝回転する〟と表現したが、これは〝クリアする〟、あるいは〝開く〟ことと同義である。この際の最重要事項は、ここからスウィングを加速させ、インパクトで体中のパワーを爆発させることである。右ヒザを〝キック・イン〟することによって、フィニッシュでは左足と右足のつま先で体重を支え、右ヒザが左ヒザに触れ、右肩がターゲットを指すポジションに収まることが重要だ。インパクトに入るとき、〝地面に根を張っている〟感覚を維持し続けること。右足は、回転し続ける体によって地面から引き離されるまでは、できるだけ長い間ターフにつけておくように努めること。ホーガンは、特にミドルアイアンとショートアイアンでこれを非常に巧みにおこなった。インパクトで右足を地面に長くつけておけば、それだけ背骨の角度を一定に保っておく可能性が増す。脚を使い過ぎる傾向のあるゴルファーは、インパクトでしばしば背骨の正しい角度を失ってしまうのである。

アドレスで設定した背骨の角度と姿勢をインパクトで維持できるゴルファーは、ショットの安定性の実現に向かって大きく前進したと言える。アイアンの場合は特にそうだ。繰り返し言うと、背骨の前傾角度を正しく保つことは、インパクトでクラブを反復可能なスロットに戻すことを可能にする、主要な要因なのである。

腹筋を締めることは重要な概念である。多くの武道において、パワーとスピードはヘソを中心とした体の中心部から発生する。濡れたタオルの両端を握って、中央部から水気が引くまで絞っていくイメージは役に立つ。テークバックに入って腹筋を締めるとき、上半身と下半身を濡れたタオルとの関連で考えるのだ。さあ、これでダウンスウィングに入って体のコイルをほぐす準備ができた。腕を組んだドリルを頻繁におこなうことによって、バックスウィングから切り返し、そしてインパクトを経て最終的にフィニッシュに至る過程で、体がどのように機能するかを感じる能力を本能的に培ってほしい。

切り返しで体を同時に2つの相対する方向に……つまり、上半身は後ろに、下半身は前に……動かすことのもう一つの大きな利点は、スウィングがコンパクトになることだ。前方への動きが始まれば、腕はそれほど後ろまで動かせなくなる。腕が後ろに動く距離を短縮することは、体の回転が損なわれない限り、スウィングをシンプルにし、

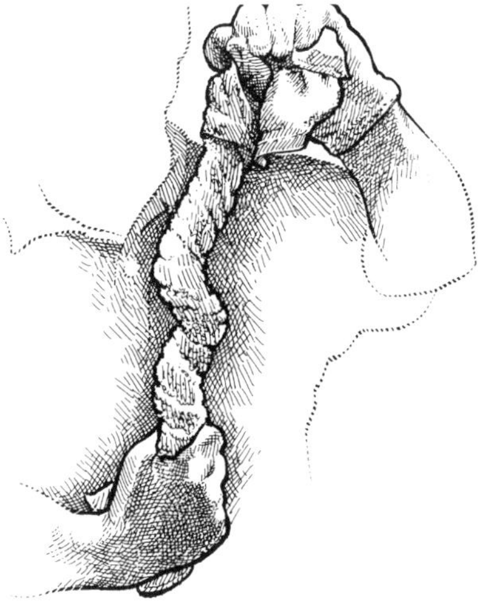

スウィング中に腹筋を絞める動作は、濡れたタオルを絞って中央部の水気を絞り出すようなものと言える

肩の完全な回転と、腕のコンパクトな振り

矢をつがえるために、矢立てから弓を引き抜いているアーチェリーの選手を想像して、右の手と腕がダウンスウィングをリードする動きをイメージすること

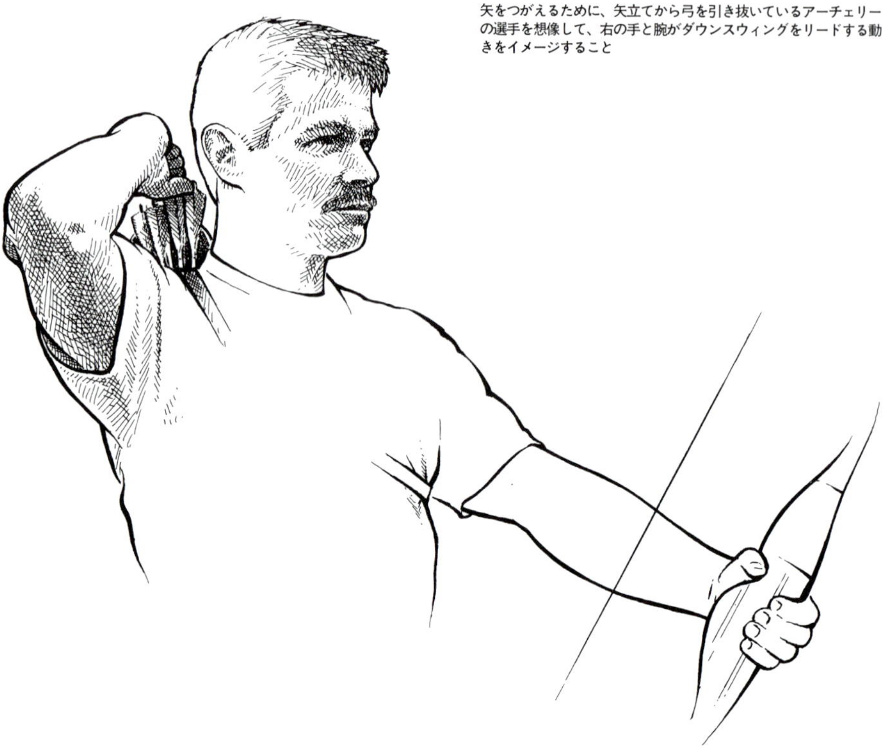

フィニッシュまで振り抜く前に、インパクト前のこのポジションで体の動きを数秒間止めてみる

ワンピースにする。腕の動く距離が短ければ短いほど、ダウンスウィングでそれだけ楽に腕を正しいポジションに収めることができるのである。理想的な組み合わせは、腕を短く振って手首を十分にコックし、肩を完全に回した状態である。このように短めにした腕の振りは、ショットの安定性と正確性、そしてコントロールを向上させるばかりでなく、パワーの増進にもつながる。ダイナミックな切り返しに連結したこのコンパクトなポジションによって、クラブを振り下ろす際に手首のコックがさらに強まる。これを〝ダウン・コッキング〟と呼ぶが、これによってスウィングの〝てこ〟の作用は強化され、インパクトでスナップとスピードが増すのである。タイガー・ウッズは、コンパクトなスウィングから爆発的なパワーを生む完璧な例だ。現代のゴルフ界でタイガーほどボールを強く叩くプレーヤーはいない。

さて、ダウンスウィングのもう一つの〝パーツ〟である、手と腕の動きに話を進めよう。最初に右腕の動きについて考えてみよう。右腕の動きは、ダウンスウィングでもっとも重要な部分の一つである。ダウンスウィングが始まると、右ヒジは右腰の方向に下りてゆくが、腕は胸から一定の距離を維持している。つまり、手と胸の間に一定の空間が保たれるのである。このダイナミックな形は、アーチェリーの選手が弓に矢をつがえる際に、背中の矢筒から矢を引き抜くときの形に似ている（左頁イラスト）。ここでは、無駄な動きはまったくない。単に、バックスウィングのトップの位置を下に持って来るだけのことである。

ダウンスウィングのおける右腕の動きは、野球のサイドスローによく似ている

ホーガンが描いた野球の内野手のサイドスローによる投球動作のイメージは、右腕の動きを理解する際に役に立つだろう。投球の動作と同じように、右ヒジは右腕をリードし、曲がった状態のまま左ヒジの下を通る。これでクラブヘッドは手より遅れて走ることが保証される。

ここでふたたび、すべての優れたショット・メーカーがインパクトまで辿るルートを見ることになる。つまり、かなり浅い角度のプレーンに沿ったインサイド・アウトの軌道だ。ハイ・ハンディのアマチュアの右ヒジは、ふつう左ヒジより高く、腰から離れた位置に来る。これでは、ダウンスウィングで急勾配のプレーンができ、クラブをアウトサイド・インの軌道で振ることになり、リリースが早過ぎて迫力を欠く結果となる。スウィングのこのエリアの感じをつかむには、ダウンスウィングで右ヒジが右腰の前に近づき、クラブがインパクト前にあるべき位置まできちんと下りたら、そこでいったん停止することだ。左頁下のイラス

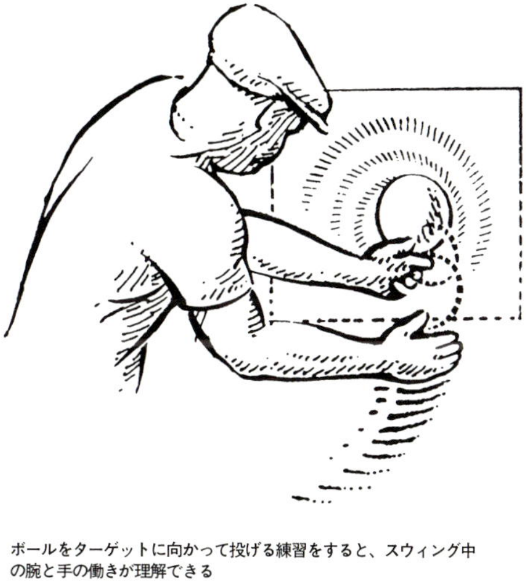

ボールをターゲットに向かって投げる練習をすると、スウィング中の腕と手の働きが理解できる

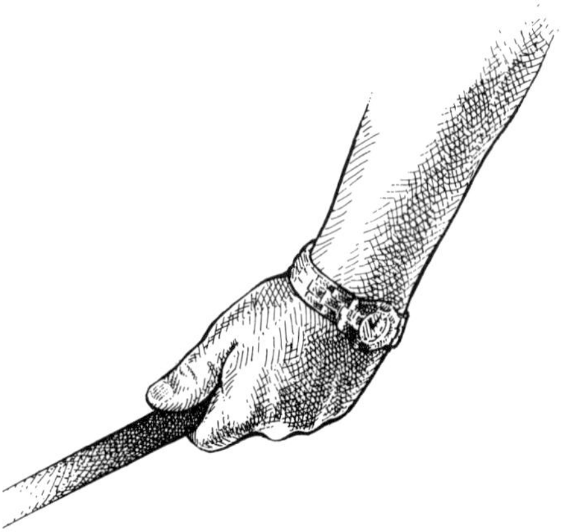

インパクトで左手の腕時計の文字盤を地面のほうに向けるように心がければ、ハイ・ハンディのゴルファーの多くは、ボールがうまく打てるようになる

トが示すような形でこのポジションを数秒間維持し、その後フィニッシュまで勢いよく一気に振り抜く。この動きを筋肉に記憶させることが肝心だ。なぜなら、このポジションまで来ると、連鎖運動のつぎの鎖であるインパクトに、はるかに到達し易くなるからである。さてこれで、パワーを爆発させるポジションについたことになる。ここからは、ホーガンがほしがった〝３本の右手〟を使って、クラブヘッドをボールに激しく叩きつけることが確実にできるのである。

ホーガンが強く勧めたエクササイズで、手と腕の動きの適正な感覚を確認するのに役立つものがある。バスケットボールかサッカーボール……遊戯用の軽い大型ボールがあればさらによいが……を壁、あるいは相手に向かって投げつけるエクササイズがそれだ（141頁イラスト）。ゴルフクラブをリリースするのと同じ角度でボールを放り投げる。ボールが手のなかにあるからテークバックはかなり短くなるが、ゴルフボールを打つときと同じスウィングの動作をおこなうこと。すでに述べた体の二方向への同時の動きと、足を踏み締めて大地に根を張る感じ、そして腹筋が締まるのを感じるに違いない。狙った目標に対して全力でボールを投げつけるとき、体の捩じれ（つまりトルク）をほぐすと同時に腕と手を大きく振り、振り抜いたあとは左手をたたみ込んでいるのを感じてほしい。実際にゴルフのスウィングをするときも、同じことが起こって当然である。この点に関する一つの重要な感じ方について、多くのゴルファーはつぎのようにわたしに語っている。つまり、まるで腕と手、そしてクラブが、インパクトからフィニッシュまで体を引っ張ってゆくように感じる、と言うのである。これは、ダウンスウィングで体を使い過ぎるハイ・ハンディのゴルファーが学ぶべき理想的な感覚なのである。このボール投げのドリルで体のダイナミックな動きを練習するときは、両腕をリラックスさせた状態でおこなうことが重要な点をお忘れなく。〝死のグリップ〟はここでは不要なのだから。

ここでもう一度、先に述べた〝外転〟運動の理論に触れておこう。インパクトのエリアで、ホーガンは手の〝外転〟運動の必要性を非常に強調している。復習すると、これはスウィングのトップ近くで左手の手の平が下を向いた状態から回転を始め、インパクトに向かうにつれて徐々に上を向いた状態に移っていく動きのことである。一つべつのイメージを使って解説するなら、〝外転〟運動とは、左手の時計の文字盤が空を向いた状態から、地面の方向を向く運動のことだ。ご存じのとおり、本章で〝外転〟運動について、さまざまな文脈で語ってきた。これはホーガンのスウィング理論の

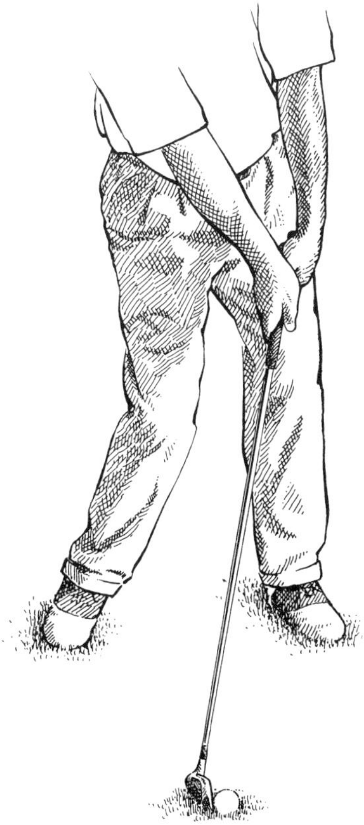

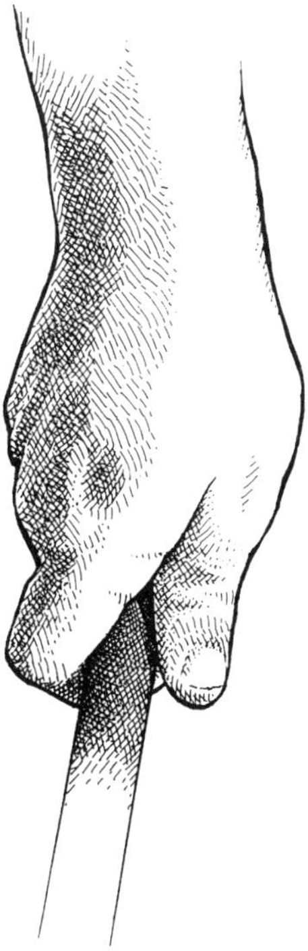

右手と前腕を回し過ぎると、インパクトの前にクラブフェースが閉じてしまい、左手の〝外転〟の効果を台無しにする

なかの根幹的な要素だからである。事実、手の〝外転〟について考察せずにホーガンのスウィングを考えることは難しい。ところで、左手を下に回す…あるいは指関節を地面に向けて回す……ことの唯一の危険は、クラブフェースが極端にクローズになる可能性があることである。一般的に言うなら、ゴルファーのグリップが〝ニュートラル〟である限りにおいては、そして特にそれが過度におこなわれないのであれば、わたしは手の〝外転〟運動の考え方に賛成する。この動きは、風に向かってショットするときに有効である。風の壁を貫くような低い弾道が求められるからだ。しかし、これをやり過ぎると怪我が大きい。まず、自分のゴルフの実態をよく考慮することが必要だ。

手の〝外転〟運動はむしろ上級者用に適したテクニックだが、わたしはこれは、ボールをとらえる際にクラブフェースをオープンにするか、すくい打ちをするためにダフったりトップしたりする傾向があるゴルファーや、あるいは球筋に力のない、経験の浅いゴルファーにも勧めてよいと考えている。ホーガンも指摘しているとおり、これらのゴルファーはインパクトで手がボールの後ろに来てしまうため、その結果、多くの場合にクラブフェースはボールをかすめることになり、ショットは弱々しい。フェースは手の〝外転〟運動によってインパクトで被さるため、ボールをスクエアにとらえたもっと力強いショットが出る。またこれは、力強いドローが打てるようになるため、弱々しいフェードやスライスを打つゴルファーにも役

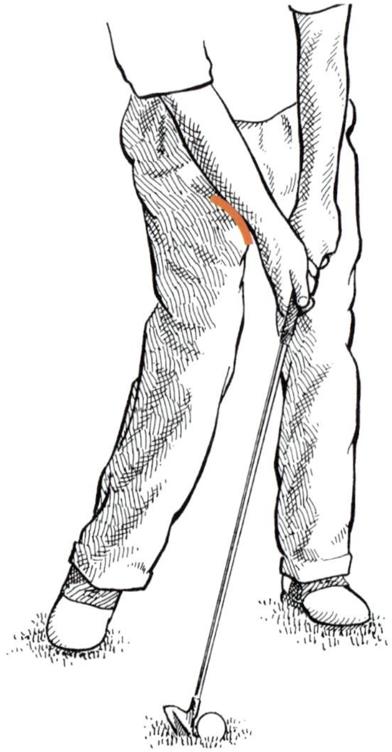

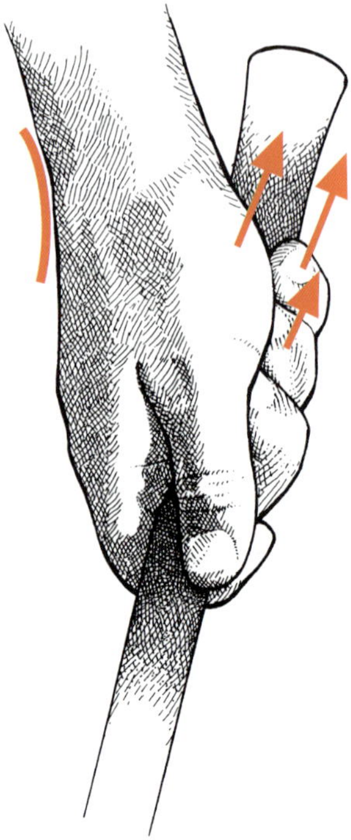

左手が〝外転〟するときの右手の役割。人差し指の第一関節がシャフトを支え、クラブフェースの向きをコントロールする。左手の爪と親指の付け根の肉厚の部分は空を向き、右手首はわずかにカッピングされる

に立つ。ハイ・ハンディのゴルファーにこの点を指導する際、わたしは技術的な説明は避けて、いつも左手の時計の文字盤がインパクトで地面を向くという、ごく簡単なイメージだけを彼らの意識のなかに植えつけるようにしている。もし文字盤がそのように動くとすれば、左の前腕と手首は時計の針と逆方向、つまり下向きに回転しなければならず、クラブフェースはこの動きに助けられてクローズ気味になる。このときの感じをつかむためには、クラブを左腕一本で持って、腰の高さでスムーズにハーフ・スウィングで振る練習をするとよい。腕時計の文字盤に神経を集中し、スウィングのトップで空を向いた状態から下りてきて、インパクトでは地面を向く感じをつかむこと。この感じこそ、ここで維持しておくべき主要な感覚なのである。もちろん、インパクトで文字盤が完全に地面を向くのは実際には不可能なことだ。しかし、わたしは手の〝外転〟運動がゴルファーに与える感じを強調して読者諸氏に伝えたいから、敢えてこのようなイメージを提供しているのである。

ここで、〝外転〟運動を実験してみたいと考えている上級者のために、少し助言しておく。〝外転〟運動に絡む問題は、ふつうは左手ではなくて、ふつうのスウィングの場合の利き腕である右手にある場合が多いことを、わたしは発見した。問題は、ボールに近づくにつれて右手と前腕が過度に回転してしまい、そのため、インパクトの前にクラブフェースがクローズになってしまうことがある点だ。その結果、深いディボットを残すひどいプル・ボールが出る。本章のなかほどで述べたとおり、ホーガンはスウィング中に自分の両手が交差するのを感じなかった。〝外転〟についてさらによく理解するために、ウェッジでスリークォーター・ショットを試み、低い弾道のショットを打つように

心がけてみよう。ボールをスタンスの少し右に寄せて打てば、低弾道のショットが打てる。インパクトで左手を徐々に外側に回してゆくとき、右手にも注意を払うこと。特に人差し指に関心を払い、インパクトに向かうクラブフェースをスクエアから少しオープンの状態に保つために、右の人差し指の第一関節に神経を集中させてシャフトをコントロールし、支えること。インパクトでつかんでほしい感覚は（これは、多くのゴルファーの場合にうまくゆく）右親指の付け根の膨らみの部分と右手の爪が、地面よりもむしろ空のほうを向いており、右手はまた、左手の上ではなくて下に来ている感じである。ここでは、感覚とメカニックスを混ぜ合わせることが非常に重要だ。これは、まるでケーキの材料を正しく配合するようなものと言えよう。ゴルファーによっては、左手の〝外転〟に、より多く集中する必要のある者もいるだろうし、右手が左手の下に来る感じをつかむ練習をしなければならない者もいることだろう。ゴルフはある程度の実験と試行錯誤を要求するという事実から、だれも逃れることはできない。練習で得た〝感じ〟をあれこれ試しているうちに、ある段階で突然、〝よし、これだ！〟と確信が持てるようになることが、しばしばあるものだ。

インパクトで手の正しい位置を保つことの最終的結論は、ヒールがトゥをいくぶんリードした形でクラブフェースがボールにコンタクトすることである。右手は過度にロールすることなく、この段階でよりニュートラルなポジションに来る。インパクトで、右手の手首の付け根の部分に〝カップ〟が見られるが、これによってクラブフェースがインパクトに入る前に閉じないことが保証される。

このようにしてウェッジで打つと、今度は前より低いショットが出るはずだ。クリーンにとらえると、ボールはグリーンを噛んでぴたりと止まる。だから、正しい〝外転〟運動をおこなうには、左手を時計の針と反対の方向に回し、右手でフェースをスクエアかオープンにすればよいということになる。これは少しばかり練習を要するが、正しく〝外転〟できるゴルファーは、ホーガンも指摘しているように、全体的に言ってインパクトでクラブフェースのロフトを殺し、フェースをコントロールできるようになるのである。その結果、広くて浅い、大きさの均一なディボットができると同時に、完璧な飛びのアイアン・ショットという、あの快感に満ちた結果が期待できるのである。

ダウンスウィングに関する締め括りとして、一つ付言しておきたい。つまり、ダウンスウィングにおけるもっとも重要な部分はインパクトであることに、疑問の余地はないということだ。たしかにそれは、最重要部分である。しかしこれは、連続的な動作のなかの一つのポジションであり、それまでに発生した動きの頂点に過ぎない。インパクトとフィニッシュでどのようなポジションにいるべきかを認識することは、正しいスウィングを作る際に役に立つし、ゴルファーが目指すべき目標を与えてくれるのである。

そのために、２つの部分から成るドリルを紹介しよう。まず第１に、鏡の前に立って自分の姿を正面から見ながら、完璧なインパクトのポジションを取ってみる（ホーガンをモデルにするのもよかろう）。ホーガンのインパクトのポジションはつ

ホーガンのインパクトのポジション

ぎのように見える。すなわち、両手はクラブヘッドより前にあり、左腕は軽く伸び、上腕部は胸に密着している。右腕は曲がり、右ヒジは右腰の近くにあって、右ヒジの内側の窪みは空を向いている。頭はボールの後ろにあり、右肩は左肩より低い位置にある。右ヒザと右足は内側、つまりターゲット方向を向いている。そして左脚は固く締まり、体重の移動を支える体勢ができている。

このポジションを数秒間維持したあと、改めて数回同じ体勢を取ってみる。インパクトの正しい構えの感じがつかめたら練習場に赴いて、このドリルの第2段階に入る。まずボールの前に立って、ふたたびモデルにしたホーガンのインパクトのポジションを取る。この場合も、できるだけダイナミックな形でこのポジションを数秒間維持すること。必要なら、クラブヘッドを地面に押しつけてもよい。つぎに、このようにホーガン型に修正したアドレスで2秒間停止し、そのあとトップまでバックスウィングして、ボールを打つ。タイミングをつかむまでに何発か打つことになるかもしれないが、ボールをしっかりとらえるようになるまでにあまり時間はかからないだろう。こうしてボールを何発か打ったら、今度は自分のふだんのアドレスに戻り、実際にスウィングしてフィニッシュに向かう途中、ホーガン式のスウィングの場合と同じようなインパクトの感じが再現できるように努めればよいのである。

フィニッシュに関しては、ホーガンのポジションの、ある部分を真似て、決して損することはない(右頁イラスト)。たとえば体重を支えている左脚、つま先で立っている右足、十分に開かれた腰、

ターゲットを指した右肩、胴体のはるか左側でフィニッシュを迎えた両手、十分に伸び、その後たたみ込まれた右腕、クラブを優雅に支える左腕、ショットを追う目……の各部である。また、まさにホーガンのトレードマークである、フィニッシュにおける胴体の自然なポジションに注目してほしい。腰にまったく緊張感は感じられず、ほとんど直立の姿勢でフィニッシュに入っているのである。ここに見られるのは、クラシックなスウィングが迎えた、クラシックで完璧なバランスのフィニッシュである。ベン・ホーガンは、ショットを放ったら、この美しいフィニッシュの姿勢を永遠に取り続けていられるように見えたのである。

第5章 まとめ

SUMMARY& CONCLUDING THOUGHTS

SUMMARY & CONCLUDING THOUGHTS まとめ

ベン・ホーガンのゴルフ哲学は、基本となる要素をいくつか見つけ出し、
それを自分のスウィングに組み込んでいくという
考え方に基づいて構築された。
長年にわたる研究と実験の結果、ホーガンはいくつかの基本を突き止めたが、
それをスウィングに応用することによって、正しいフォームができたと考えた。
彼にとって正しいフォームとは、パワー、正確性、ボールのコントロール、
そしてなによりも重要なショットの安定性を生むスウィングを意味したのである。
いったんスウィングを分解して、
基本的な諸要素を突き止めたホーガンは、それを大切にした。
彼はスウィングの細部に至るまで完璧にしようとはしなかった。
自分のスウィングに必要なものを発見したときに初めて、
彼のゴルフは新しいレベルに達したのである。
彼はこの点に関してつぎのように書いている。
「正直言ってわたしは、コースに出れば毎回かなりいいプレーが
期待できる……そして突然〝タッチを失ってしまう〟ことなど
心配する理由はまったくない……と感じ始めたのだった。
わたしのこの新しい自信を支えているのは以下の事実だと思う。
つまり、自分は多くの困難なことを完璧にやってのけようとすることを止めた、
という点だ。なぜなら、この野心的な超完璧主義は、
可能でもなければ賢明なことでもなく、必要ですらないからである。
体に覚え込ませなければならないことは、
結局は基本的な動作だけなのだ。
そして、そのような動作は
あまり多くはないのである」

基本的な動作をきちんと身に付けるためには真剣に研究し、たっぷり時間をかけて練習しようとする決意が必要だが、同時にスウィングの細部に関しても高度の理解力を持たなければならない。わたしは本著で技術面の細かい点についてかなり詳細に語ってきたが、読者諸氏には決して〝分析による麻痺状態〟に陥ってほしくない。それは、インストラクターとしてのわたしがもっとも避けたいことだ。わたしは技術面の細部に取り組むのは、練習場か、ボールを打たない自宅での練習のときにすべきだ、と生徒たちにこれまで一貫して語ってきた。ボールを使わなければ、ナイス・ショットをしなければならないというプレッシャーを感じなくて済む。練習とプレーは、それぞれまったく別の世界である。練習を繰り返し、あるテーマに取り組むのは、スウィングにそれを刻み込み、そのつぎのステップとしてコースに出て、本能を頼りにプレーするためだ。細かい点を練習するのは、それをスウィングに組み込んで自分の一部にするためである。テクニックの細部に関する生徒の理解を助け、彼らがあとでそれを本能的にスウィングに取り入れることを可能にするために個々に合った学習スタイルを理解させることは、インストラクターとしてのわたしにとって極めて重要なことだ。テクニックの細部を深く突っ込んで理解する能力と情熱は、ゴルファーによってまちまちである。分析能力に長けたゴルファーもいれば、テクニックについて考えるのが苦手のゴルファーもいる。だからわたしは、個々のゴルファーにすこしづつ異なった形で接しなければならないのである。

一例として、1991年にコーチングしたセベ・バレステロスの場合を挙げてみよう。セベほど感覚に頼ってプレーするゴルファーはいない。彼がコーチしてくれないかと言ってきたとき、わたしは説明をできるだけ簡略にし、感覚的な表現で自分の考えを伝えなければならないことを強く意識したのだった。まるまる１年間、われわれは基本的に２つの課題に取り組んだ。つまり、彼のアドレスの姿勢をさらにアスレチックにすることと、スウィングの安定性を増すために体の回転をコンパクトにすることだった。われわれはたっぷり１年かけてこの２つの側面に取り組んだが、その結果、セベはフェアウェイ・キープ率が増え、その年のヨーロッパの賞金王になった。だから、わたしの考えでは特訓の成果は十分にあったのである。しかし翌年になると、彼はよいスタートを切りはしたものの、ほどなくわたしのところに戻ってきてこう言ったものだ。「コーチしてもらったことには大変感謝しているのですが、正直言って、去年教わったことは技術的過ぎてわたしにはあまりよくわからないのです。自分は、やはり前のように〝感じ〟に頼ってプレーがしたいと思います」。振り返ってみて、これは彼にとって必ずしも最善の解決策ではなかったのではないかと思う。しかし、すべてのプレーヤーは自分の進む道は自分で決めなければならない。わたしがこの例を挙げるのは、学習曲線に関する限り、ゴルファーは個々に異なるからである。

もし、テクニックを変えようと願うなら、メカニックスと感覚をブレンドする必要がある。そして、練習ではメカニックスに取り組み、コースに出たら感覚に頼ったプレーに切り換えなければならない。これは練習ラウンド、あるいは特定のテ

クニックに取り組むためのラウンドではなくて、月例のような重要なラウンドを回るときに特に必要なことである。ここにおける教訓は、一度にわずか1つか2つの考え、あるいはヒントに取り組むのが賢明だということだ。アイデアは多ければよいというものではない。練習場に赴くとき、これから試すアイデアは最高2つまでとし、それに専念して練習してほしい。一つのアイデアを十分に消化できたと感じて初めて、つぎのアイデアを試すべきである。スウィングは連鎖運動であり、まずグリップから始まってスウィング全体に至る基本を練習することが重要な点を、常に念頭に置いていただきたい。スウィングの連鎖運動では、最初の動きがつぎの動きに重大な影響を及ぼすことをお忘れなく。ホーガンは常にしっかりした理由と目的を持って練習に臨んだ。あらゆるゴルファーがそうすべきだとわたしは考えている。

ここでさらに、その他の2点に触れたい。ホーガンを研究し、スウィングについて知ることが楽しい……ちなみに、わたしは毎日スウィングについて新しい知識を得ている……のは、それが生涯の趣味になるからである。ホーガンの著書は深い見識に満ちていると同時に、暗示的な部分も多く、読者の解釈に任せている部分が多々ある。以下に、スウィングについて考察する際に検討に値する、その他いくつかの考え方を述べておく。

テンポ

テンポに関して、かつてホーガンは自分の熱心な賛美者であるゲーリー・プレーヤーにこう語った。「スウィングが基本的に正しければ、よいテンポは自然についてくるものだ」と。要するに、テンポのことは考える必要はないということだ。しかし、ホーガンは数え切れないほどのボールを打っていたから、自分のテンポが乱れた場合は、すぐにわかったのである。わたしは、目を閉じてスウィングすることをゴルファー諸氏に勧めている。メカニックスのことは少し忘れて、スウィングのテンポを感じることができるからだ。読者にもこれをお勧めしたい。

ボールの位置

ホーガンは、使用するクラブに関係なく、ボールを左足のかかとの2分の1インチから1インチ（1.25センチから2.5センチ）ほど内側に置くことを好んだ。クラブが異なっても基本的なスウィングは同じだと考えていたため、ボールの位置を変える理由はなかった。だから、彼はスタンスの幅だけを変えた。ショートアイアン……つまり、6番アイアンからウェッジまで……の場合、ホーガンのスタンスは狭く、クラブが短くなるにつれて向きはオープンになり、右足を左足とターゲット・ラインに徐々に近づけていった。このようなポジションは体の回転を制限するため、自分ではフル・スウィングをしているつもりでも、実際にはショートアイアンのスウィングをコンパクトにする効果がある。また、このポジションは、体の左サイドをあらかじめ左に引いて……いわば、すでに〝クリアした〟状態で……構えるため、ダウンスウィングで左腰をスウィングの邪魔にならないように開き易くする。ホーガンは、このスタンスだとショートアイアンで距離を少し犠牲にすることになるかもしれないが、ショットの正確性は

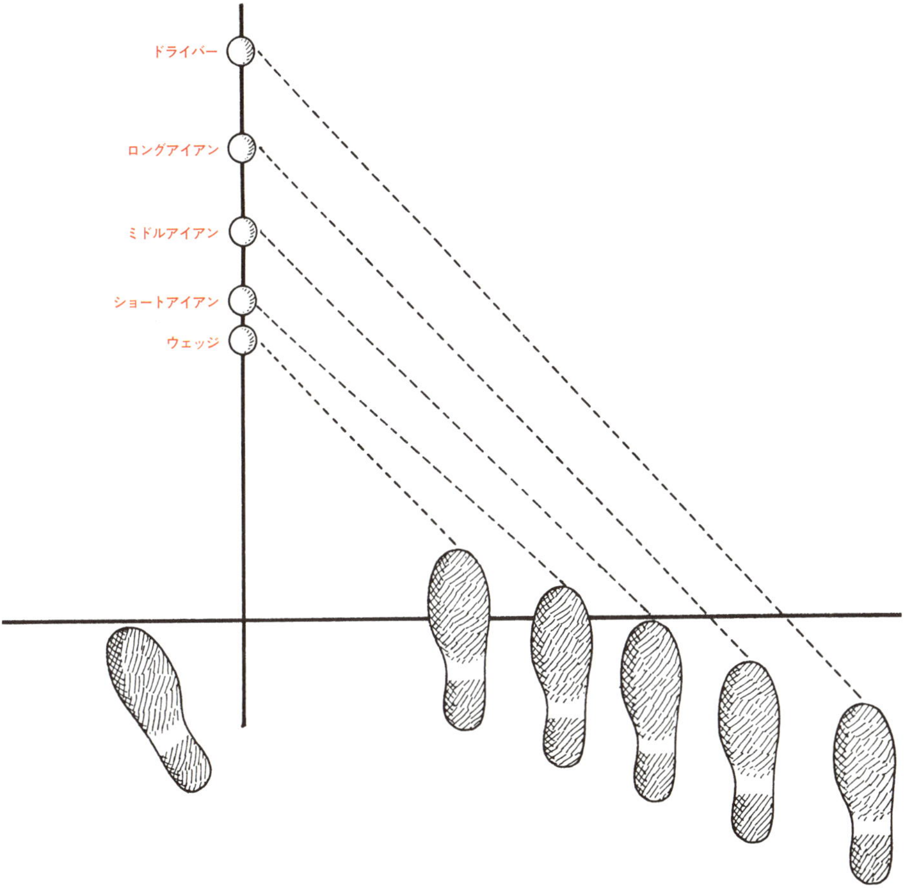

ボールの位置に関するホーガンの理論：ボールは同じ位置で、スタンスを変える方式。クラブが短くなるにつれて、スタンスの幅は狭くなり、よりオープン（左を向いた形）になる

確実に増すと信じていた。より長いクラブの場合は、体のバランスとショットの安定性を考えて、ホーガンは右足を少しクローズの位置に引いた広めのスタンスを勧めている。確かにホーガンは、前記のように、クラブが変わっても基本的なスウィングは変わらないと言っているが、実際にはスウィングは、ゴルファー自身が気が付かないところで微妙に変化すると付言している。クラブが長くなればなるほどライ角度はフラットになり、ゴルファーはボールからより遠くに立つ。当然のことながら、その結果、いくぶんフラットなプレーンが生まれる。より短いクラブの場合はこれと逆のことが言える。つまり、スウィング・プレーンはよりアップライトになるのだ。ウェッジのスウィングのほうが３番アイアンのスウィングより、明らかにアップライトなのである。

こうした変化は、自然に起こるものであり、肉眼ではほとんど確認できない点を強調しておきたい。スウィング・プレーンはクラブのデザインによって自然に変化するからである。しかし、ボールの位置を実験してみるのはいいことで、わたし

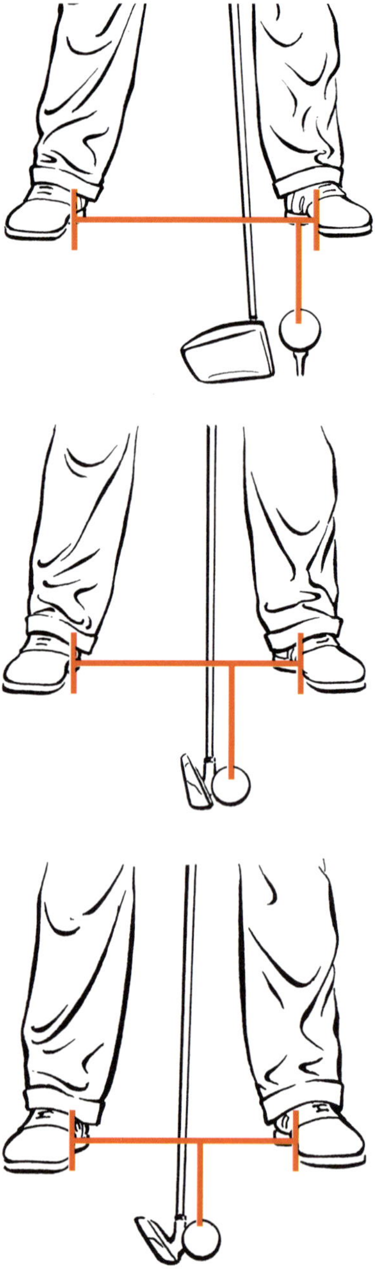

ボールの位置についてのもう一つの考え方：ドライバーからミドルアイアンを経てショートアイアンに至る段階で、ボールをすこしづつ右に移す

はつぎのやり方を勧めたい。つまり、すべてのクラブで、3つの異なったボール・ポジションを試すやり方だ。すなわち、(1) ボールを払うようにして打つドライバーとフェアウェイ・ウッドのスウィングでは、ボールをスタンスのずっと前、つまり左足の正面近くに置く、(2) ミドルアイアンとロングアイアンでは、ボール2つ分、ドライバーの位置から後ろに下げる、(3) ショートアイアンでは、ボールはスタンスのほぼ中心、の各ポジションである。長いクラブの場合は、スタンスを少し広げ、ショートアイアンでは少し狭める。わたしはこれは、ウィークエンド・ゴルファーにとって簡単で非常に有効な方法であることを発見したが、こうすることによってスタンスとスウィングの調整がある程度自由にできるため、多くのツアー・プレーヤーもこの手を使っている。

個人的な好みから言うと、わたしはボールの位置をもう少し変えたい。一見するとホーガンの勧めるやり方のほうが反復し易い、と読者は思われるかもしれない。確かに、もし同じコンディションでプレーするなら、それでよかろう。だが、ゴルフは非常に感覚に頼らなければならないゲームであり、ゴルファーはショットごとに異なった状況に対処しなければならないのだ。つまり、斜面、低いショットと高いショット、ドロー、フェード、スリークォーター・ショット、そして風に加えて、規模も地形も異なるコースで展開するこの屋外スポーツに本質的について回る諸々の状況である。多くの熟練したプレーヤーがショットごとにボールの位置を微妙に変えるのは、ある程度感覚に頼ることなしにはプレーできないことを知っているからだ、とわたしは考えている。ゴルファーが正

ホーガンはボールの位置はどのクラブでも同じだと説いた。しかし、ウェッジで打つこの写真が示すように、彼はしばしばボールの位置を変えていた。つまり彼は、機械的であると同時にフィーリングも大切にするプレーヤーだったのである

しいボールの位置を決める際には、本能が大きな役割を果たすという点は重要だ。だから、ボールの位置は、機械的に決めるわけにはいかない。ゴルフコースでは状況は刻々と変わり、さまざまな種類のショットが要求される。そのようなコースと練習場の環境とは、異なるのである。

ロフトのあるウェッジでアドレスの姿勢を取っているホーガンの写真を見ると、彼自身がスタンスで、自説よりも後ろにボールを置いていることがわかる。彼はたしかにスウィングのメカニックスを重視したプレーヤーだったと考えてよいと思

うが、感覚にも頼ったとわたしは思う。彼はホールの性格に合うようにボールを操ることによって、常に巧みなショットを放っていた。だからホーガンは、意識していたかどうかは別にして、特にショートアイアンの場合、しばしばボールのポジションを変えていたに違いないと思う。わたしは、ゴルファー諸氏にこの点について実験することをお勧めしたい。自分にとって最適なやり方を探すことだ。また、一般的な法則を適用してもよい。つまり、フックしたりプッシュしたりする傾向がある場合は、ボールは目標寄りの位置に置き、スライスやプル・ボールが出るならボールは目標とは逆の位置に置くやり方である。

しかし、どのような方法を選ぶにしても、ムラがあってはならない。新しい生徒に自分のゲームをどのように変えたいかと聞くと、決まって「もっとムラのないゴルフがしたいです」と答える。安定したプレーはアドレスから始まる。ボールの位置は、そこで重要な役割を果たすのである。

運動能力、リズム、パワーといった、あらゆるゴルファーが自分のプレーに取り入れるように努めなければならない諸要素の役割も、同じように重要だ。ホーガンのスウィングは、映像、写真、あるいはイラストのいずれを見ても、これらの特質をみごとに具現するものだ。無駄のない動きが、彼のスウィングに芸術と科学の融和をもたらした。美しく、そして機能的なスウィングが完成したのである。

「細かいテクニックを練習するときは、基本を体に刻み込む作業をおこなっているのだということを忘れないでほしい。それが、練習の目標なのだから」とホーガンは語っている。基本を覚え込むことは彼にとって、最終的には自分のプレーの管理とスコア・メーキングに集中できることを意味した。ホーガンがマスターした基本は彼の一部となり、ゴルファーとしての彼の性格を示す証しとなった。ホーガンにとって、ゴルフの基本とはつぎのような要素だったのである。つまり、正しいスタンスとグリップで正しいアドレスを取ること。これから打つショットへの準備として、ワッグルすること。手、腕、肩の順にテークバックを始め、その結果、腰の回転が始まること。そして、左手首を〝外転〟してボールを激しく叩き、安定したフィニッシュに入ることだった。もちろんホーガンはそれに〝秘訣〟となったテクニックを加えた。わたしは本著から読者は、自分自身に役立つカギを見出すために必要な情報を得ていただきたいと思う。ホーガンから学ぶことのできる教訓は、正しいスウィングへのカギに磨きをかけたら、我慢してそれを失わないようにすることである。

ホーガンが長年にわたって楽しみながら懸命に努力した末に到達したスウィング観は、一見極めてシンプルである。彼は自分の広範な研究の成果を簡略化することに成功し、その結果、長期的かつ安定的な上達への旅にコミットしたゴルファーを導くための案内図を提供したわけである。書き言葉は、必ずしもゴルフのインストラクションにとって最善の伝達手段ではない。ホーガンの著書と……そして、願わくばイラストと写真を多用した拙著……が、読者諸氏がスウィングに要求される主要な動作を簡略に理解し、学習するための一助となることを切に願うものである。同時に自分に合った練習法を選択する際に役に立つヒントを提供するものであってほしいと願っている。執筆中わたしは、活字になったインストラクションが非常に誤解され易いことを常に念頭に置きながら、解説をできるだけ明瞭かつ簡潔にするように努めた。一対一でコーチングする場合には、あるアイデアを特定の生徒が理解できるように言い換えて伝える機会は何度もある。ところが、ことレッスン書となると同じことは一度しか言えないし、対象は個人ではなくて、不特定多数の読者である。わたしはそのことを肝に銘じ、本著ではゴルフのスウィングのいくつかの異なった観察の仕方ばかりではなく、読者がスウィングについて多角的に考えるためのヒントを提供しようと努めた。

わたしが明確に意識した最大のテーマは、読者自身の上達の役に立とうということである。すでに本著全体に目をとおされた方は、1章から4章までを改めてお読みいただきたい。内容がしっかり消化できたと感じるまで、それぞれの章にじっくり取り組むことをお勧めしたい。その後、つぎの章に進み、ここでも十分に理解できるまで同じような姿勢で取り組み、最終的に全章を読破するまで同じプロセスを続けていただきたいのである。読者は、じっくりと基盤を築き上げていったホーガンのスウィング作りの哲学を、根底から一歩一歩学んでほしい。この学習方式が優れている点は、読者は本著に記された情報をいつでも利用できる参考文献と考えて、すこしずつ上達するにつれて、関連の箇所を改めて読み直すことができることである。

1950年代後半にホーガンが『モダン・ゴルフ』を発表して以来、スウィング中に実際になにが起こるかという点に関して、わたしたちは当時彼が予知したとおり多くのことを学んできた。しかし、ホーガンのこの著書は確かに広い人気を博したが、ホーガンの語るアイデアのすべてを自分に役立てる形で取り入れることができないゴルファーは多いのである。ホーガンのみごとな、ほとんど完璧とさえ言えるプレーに畏怖を感じた忠実な信奉者たちは、『モダン・ゴルフ』に書かれている彼の教えに従えば、彼らもまた完全に近いゴルフができると、世界中の至る所で考えたのである。ホーガンは自分のスウィングのすべてを真似てもらおうなどとは思っていなかったし、事実、自著を読んだとしても、読者はやはり自分とは違ったフォームになるだろうと書いている。それが人間の本質なのである。しかし同時に彼が、すべての腕のよいゴルファーには共通の特質が見られると言っていることも事実だ。

だが、『モダン・ゴルフ』を手本にした多くのゴルファーは、彼の動作をなにからなにまで真似ようと努めた。彼らは同著を読んで、それこそまさしくホーガンが彼らに求めているものだと思い込んでしまったのである。彼らはホーガンと同じウィーク・グリップでクラブを握って、ホーガン並みのスウィングを再現しようとしたが、大半のゴルファーはそれによってパワーを失った。彼らはスウィング中、両腕を縛りつけるようにして接近させたため、窮屈でならず、まるでウェット・スーツで体全体を押さえつけられたような印象を与えた。その結果、スウィングはぎこちなく、リズムが感じられなかったから、そんな姿を見ていてわたしは、彼らは果たして体の自由な動きを少しでも感じているのかどうか、しばしば疑問に思ったものである。これらのゴルファーは、クラブをホーガンと同じタイプのスウィング・プレーンに乗せるために痛ましいほどよく練習したが、その過程で大半はフラット過ぎるプレーンでクラブを振って、つぎに腰を激しく回転させてダウンスウィングを始めたのだ。わたしの見方では、多くのゴルファーは自分たちの体つきを考慮せずに、めったやたらにホーガンの教えに従おうと決めた段階で、大きな挫折を体験したと思う。『モダン・ゴルフ』を通してホーガンがおこなったもっとも価値ある貢献の一つは、それがスウィングに関する議論と討論の起点になったことである。議論は今日も続いている。

『モダン・ゴルフ』は、スウィング・プレーンや手の〝外転〟運動や〝内転〟運動などという一見難解な概念を扱っている。スポーツ選手としての……ましてや巨匠ホーガンに匹敵する……天賦の才能や身体的能力に恵まれず、気持ちはあっても毎日何時間も練習できないホーガンの信奉者の多くは落胆した。ゴルファーというものは、魔法の回答あるいはヒントが自分たちの抱えている問題を瞬間的に解決して、より優れたプレーヤーにしてくれるという考え方に昔から魅力を感じてきたから、落胆は当然だったと言えよう。しかし、ホーガンの著書は上達への近道は説かなかったし、彼自身もそれを教えるつもりはなかったのである。『モダン・ゴルフ』は周到な猛練習と多くの忍耐心を、読者に求めたのである。

だが、『モダン・ゴルフ』と、彼が残した数多くの記事のトーンは楽観的だった。なぜならホーガンは、自分のゴルフを変えることにコミットする意欲のあるゴルファーは、かならず上達するという信念を読者に伝えているからである。わたしもホーガン同様、われわれは常に上達できると思っている。わたしはまた、上達に関しては唯一無二の方法などというものはなく、ゴルファーは上達のための方程式の重要な一部として、自分自身に関すること……つまり、自己能力のレベル、夢、目標、練習やプレーに割ける時間、肉体的条件、そして年齢など……をいつも考慮することが必要だと思う。ある方式に従っても、それは必ずしも上達につながらないことは、ままある。しかし他方で、創意を働かせてさまざまなことを意欲的に実験し、自分自身の答えを見つけることができるような練習の指針に従えば、永続的な上達が期待できる可能性は高いのである。

これほど多くのホーガンの忠実な〝弟子〟たちが混乱してしまったのは、不幸なことだ。彼らの多くは、ホーガンのスウィングをそっくりそのまま真似ることは、ホーガンとの間のさまざまな差異からしてとうてい不可能だということを認識しないで、真似できないのは自分たちになにか問題があるに違いないと考えてしまったのである。ホーガンの言葉を胸に深く刻み込むのはよいが、それを自分たちの個々の特質に照らし合わせて吟味しようとしなかった多くのゴルファーは、彼の著書を読んだあとで途方に暮れた。カート・サンプソンは、ホーガンの伝記（邦訳『ベン・ホーガン』、ベースボール・マガジン社、1998年刊）の著者だが、そのなかでこう書いている。「他のあらゆる教則本と同じように、（『モダン・ゴルフ』の）各ページはそれぞれ、正しく理解するのに時間がかかる。すらすら読める本だと思った読者は、同著が気に入らなかった。さらに基本的な批判は、同著が細部にわたって説くテクニックの一つひとつは、複雑過ぎて、試すために費やす努力に値しないということだった」。しかし、サンプソンの言うテクニックの細部が書かれていたからこそ、『モダン・ゴルフ』はこのような名声の高い論文になったのだが、多くの読者にとって内容を理解し、吸収することは難しかった。それでも自己向上の達人だったホーガンは、上達するためには時間と努力を費やすことを厭わないゴルファーにとって上達のための青写真となる、精密に構築されたレッスン書を執筆したのだった。わたしが常々言っているとおり、自分の癖と失敗の真因をはっきりわかっておくのは、役に立つことなのである。

わたしは拙著がホーガンの理論に新しい光を当て、読者が以前よりはるかによく彼の考え方を理解するようになることを祈る。ホーガンの哲学を自分のスウィングに照らして評価し、そして自分にさらに役立つ領域で取り入れることが、読者にとってより易しくなれば幸いである。ホーガンが提供する情報を自分のゴルフに合うように適応・修正する……だが、決して単なる模倣はしない……ことは、読者の意欲次第でできると思う。そのように武装してコースに出れば、上級者は真に一流のプレーができるようになるし、アベレージ・ゴルファーは80を切ることは可能と考えてよい。これは達成可能なゴールなのだ。筋肉がスウィングを記憶するまで目的を持って練習し、辛くても耐えることだ。そうすれば、この非常に難しくもあり限りなく面白くもある、ゴルフというスポーツが突きつけるあらゆる挑戦を受けて立つことができるのである。

ホーガンのスウィングを見て、人々は「そうだ、これこそ正真正銘のゴルフのスウィングというものだ」と思った。サム・スニードの華麗で流れるようなスウィングは〝荘重〟という表現がぴったりだったが、ホーガンのスウィングは、クラブヘッドがボールを叩くときにエネルギーに満ち、まさに〝電撃的〟だった。ゴルフに対して抱いた深い愛情と完全主義の追求が原動力となって、ホーガンはゴルフ界でもっとも著名なスウィング分析家兼プレーヤーの一人になった。晩年の数年間、脚の痛みがひどくなったホーガンはほとんど歩けないような状態だったが、それでも彼はテキサス州フォートワースにあるお気に入りのシェイディ・オークス・カントリー・クラブで、若いころと同じような集中力と決意でボールを打ち、ゲームのための練習に励んだのである。このエピソードは、彼についてなにを語るのだろうか。完全であることへの執着と、ボールをしっかりとらえたときの歓喜は尽きることなく、ホーガンのボールを打つ傑出した才能はゴルフ界の語り草になっている。ホーガンが残した有名な台詞を紹介しておく。「ボールを打たずに過ごす日があれば、その日数だけ進歩が遅れる……」である。

ホーガンは孤高の人物だったと同時に、スウィングに関する数々の不変の疑問に対する答えを執拗に追求したゴルファーだった。たとえば、正確性とパワーを達成するのにもっとも信頼できる方法はなにか。スウィングの安定性と信頼性というゴールに一歩でも近づくために、一人の人間になにができるか。他のすべてに勝る、たった一つの最高のスウィングの仕方というものはあるのか……。

これらの疑問に興味を抱いたゴルファーたちも、ゴルフはしなくてもホーガンに魅せられた人々も、彼の動向に一様に注目した。本章の前の部分で記したように、ラリー・ネルソンは21歳でゴルフを始め、『モダン・ゴルフ』を読んでプレーを覚えた。わたしはまた、1960年代のアメリカのプロ・ツアーで活躍した有名なプロ選手、ガードナー・ディッキンソンの見解にも触れた。彼は熱心にホーガンを研究した結果、ホーガン方式のゴルフに心酔した。ディッキンソンはホーガンと同じ平たい白の帽子をかぶり、その他の多くの点でもホーガンにあやかろうと努めたが、その際たるものがホーガンそっくりのスウィングだった。ホーガン自身も、ディッキンソンを指導することを自分に課せられた任務とみなし、スウィングの改良に力を貸した。同時代のプレーヤーは、ディッキンソンを〝ミニ・ベン〟と呼んだ。ディッキンソンはあるとき、カナダ出身のプロ・ゴルファーのジョージ・ヌードソン(「巨匠」のスウィングを真似たもう一人の熱心な弟子で、優れたショット・メーカーとして評判が高かった)に面白いことを話している。つまり巨匠は、自分のスウィングでおかしくなる部分は5つくらいしかないと考えており、練習の際にこれらのチェックポイントに頼ってスウィングを矯正したというのである。しかしホーガンは、自分は実際には一つのチェックポイントを調べるだけで済んだ、とディッキンソンに語っている。ホーガンは自分のスウィングを熟知していたから、どのような問題が発生しても原因はすぐにわかった、とヌードソンは述懐している。ホーガンは、チャンピオンシップ・ゴルフの過酷な要求に耐え得るスウィングを、それほど周到に作り上げていたのである。

ヌードソンはアメリカのPGAツアーで8勝を上げ、ある年には数週間のうちにホーガンと11回も一緒にラウンドする幸運に恵まれている。彼は未発表の原稿のなかで、ホーガンについてカナダ人ジャーナリスト、ボブ・モアーにつぎのように語っている。「ホーガンとプレーするのは、特に難しかった。ギャラリーのような気持ちにさせられてしまったからだ。これは、その他多くのプレーヤーが抱いていた気持ちと変わらなかった。ツアーの常連の多くが、ホーガンがプレーするときは自分たちはキャディーを買って出るべきだと感じていた。彼があまりにも偉大だったため、一緒にプレーするのは気が引けたのだ。ホーガンは完璧そのものだった。わたしはいつも、いまの自分の技量で彼と戦うのは止めて、家に帰って練習し、自分の腕にもっと磨きをかけなければならないと感じたものだ。彼はわたしにいつも、自分は場違いのところにいるのだと思わせた。ホーガンはわたしをしばしば、自分はツアーでいったいなにをしているのだという、自嘲的な気持ちにさせた。正直言って、わたしは他のどの選手とプレーをしても、決してそのような気持ちになったことはない。彼らがわたしとプレーしたければ、いつでも準備はできていた。しかしホーガンは、他のだれよりもはるかに高い存在だった。ホーガンが側にいると、たちまち立ち止まって彼に見入っていた。そして、〝よく見ていろ。この選手はいまからスーパーショットを打つからな〟と、自分のキャディに言ったものである。キャディの目の前でホーガ

激しい練習の日々を物語る、ホーガンのたこだらけの手

ンの球筋を予言し、ホーガンがまったくそのとおりのショットを放つのを見る度に、わたしは緊張したり、ぞくぞくしたりしたものである」

ホーガンは、今日でも相変わらずゴルフ界で抜きん出た存在である。ゴルフライターたちは再三にわたって、彼の人となりと、彼をそれほどまでスウィングの探求に掻き立てたものを解明しようと努めた。パット・ウォードートマスはホーガンに惚れ込んだイギリス人ジャーナリストだったが、ホーガンを一目見てその天才的な才能を見抜いた。1965年10月、彼は「ガーディアン」紙に「ホーガンの並外れたゴルフへの愛情」という題の記事を書いている。ウォードートマスは、そのなかで人間ホーガンの本質を描いているが、これはホーガンのような複雑な人間を扱ったものとしては、非常によく書けた文章だとわたしは思う。

ウォードートマスは、こう書いたのだった。「ホーガンは孤高の人で、お世辞や、薄っぺらで安易な友人関係、そしてマスコミなどに騒がれることを忌み嫌った。彼は、自分の世代の誰もまだ破ることができない大記録に自分のすべてを語らせたのである。彼にとって自分を表現する手段はただ一つ、つまりプレーをすることだった。プレーこそ、彼の人生だった。完璧を追求するなかで、その他のことは彼にとってすべて二次的な意義しか持たなかった。ホーガンを凌ぐ気迫で極限までテクニックの完成を追求したプレーヤーは、これまでに一人もいなかったのである」

ショットの練習に費やす果てしない時間は、ホーガンに大きな喜びをもたらした。彼は〝さらに優れた方法〟を貪欲に探った。「わたしは練習することに最大の満足を覚えた」と彼は語っている。「上達に勝る喜びはない。ふだん90で回るゴルファーが87を出したとき、70で回るゴルファーが69を出して味わうときと同じ喜びを感ずるのだ。それがゴルフをこれほど素晴らしいゲームにしているのである」。ホーガンは基本的に健全な方法をついに発見し、それがトーナメントのプレッシャーに耐え得ることを自ら立証した。彼のように何千個ものボールを集中して打つことは、すべてのゴルファーに真似できることではないが、それには時間的な制約以外の理由があるのだ。ホーガンはボールを打つことが心底から好きだったが、すべてのゴルファーがそうだというわけではない。彼の勤労倫理、鋭敏な頭脳、絶対的な集中力、そしてコースで発揮する鋼《はがね》のような不屈の精神（1953年に彼が全英オープン選手権を制覇したとき、スコットランドの人々は彼を〝カーヌスティのウィー・アイス・モン〟、つまり〝小さな鉄人〟と呼んでいる）が加味されて、完璧なゴルファーが誕生したのだった。

ホーガンの猛練習の習性は、すべてのゴルファーへの素晴らしい遺産である。彼はシステムに基づく練習を非常に重視し、20分間ボールを打つと小休止した。ボールを一個ずつ真剣に打ち、各ショットを毎回厳しく吟味した。彼はただ漫然とボールを叩いていたのではなく、ボールを叩く〝修行〟をしたのである。自分の技術の向上を願うゴルファーは、グリップ、スタンス、スウィング・プレーンなどの基本的要素の習得に毎日30分を自宅で費やすべきだ、とホーガンは語っている。ホーガンはよく鏡を使って練習し、自分のスウィングのイメージを心眼に刻み込んだ。彼の練習は、球を打つことよりはるかに多くのことを含んでいた。ボールを使わないで練習するときは、筋肉にスウィング中の体の動きを記憶させたから、あとで実際にボールを打つときは、意識よりも本能の働きを優先したショットができたのである。ホーガンはまた、遠くにいるキャディ目がけてボールを打つことが好きだった。トーナメントに出場するゴルファーが練習中に、ボールの落下地点で待機しているキャディーに向かってショットを打つことが（危険であるという理由で）禁じられたときから、このゲームからなにか重要なものが失われてしまった。ホーガンは１人で練習場に赴き、キャディに向かってボールを打つことをこの上なく好んだのだった。そこで彼は、まるでコースでプレーしているかのように、左から右へのショットや右から左へのショット、そして高いショットや低いショットを、想像力と感覚に頼って自由自在に打ち分けたり、距離のコントロールをする練習に専念したのである。

ホーガンが残してくれたもう一つの遺産は、人は長年トップ・レベルのプレーができるということを彼が自ら実証した点だ。1953年、40歳の年にホーガンは、１年間で３つのメジャー大会を制覇している。現在のシニア・ゴルフ界のスーパースター、ヘール・アーウィンと、40歳で1998年度の全英オープン選手権とマスターズ選手権を制したマーク・オメーラ、そしてもちろん、1986年に48歳で６度目のマスターズ優勝に輝いたジャック・ニクラスも、同じ範疇で見ることができよう。ホーガンは、歳を取るにつれてパッティングの腕が落ちたことは確かだが、彼はパッティングはゴルフの他のショットと同一視されてはならない〝プレーのなかのもう一つ別のプレー〟と見ており、ワン・パットはハーフ・ショット、つまり〝２分の１ストローク〟とみなされるべきだと主張した。南アフリカの伝説的ゴルファーでゴルフ史上最高のパットの名手の一人だったボビー・ロックと一緒の組み合わせになると、ホーガンはほとんど絶望的な気持ちにさせられた、と多くの人々は語っている。

そうは言っても、ホーガンのパッティングは他人または彼自身が認めていたより、はるかに優れていた。世間の認識とは逆に、彼は熱心にパッティングの練習に励んだ。ある年のマスターズ選手権に先駆けてフロリダで練習した際に、彼は全米オープン選手権で２度、そしてマスターズで１度優勝しているケリー・ミドルコフとラウンドしたことがある。ホーガンはそのラウンドで〝スプリット・ハンド〟のグリップでパットして次々にカップ・インし、60台の前半でホールアウトしたのだった。そのラウンドのすぐあと、ミドルコフとホーガンはマスターズの会場に入って、ふたたび一緒に練習ラウンドを回った。ミドルコフは、オーガスタの1番グリーンでホーガンがふだんのパッティング・グリップに戻っていることに気づき、この前非常にうまくいった〝スプリット・ハンド〟をなぜ使わないかと尋ねた。するとホーガンは、「あのグリップを、これほど大勢のギャラリーの前でやる気になれないのだ」と答えたものだ。彼は純粋主義者だったのである。

ホーガンはこれからも常に、ボールを打つ秀逸なテクニックで記憶されていくことだろう。彼はパッティングに関して、ゴルファーの役に立つ助言などとても提供できないと考えていたため、このテーマに関する章を『モダン・ゴルフ』に加えなかったが、このことによって、彼にとってパッティングがプレーのなかで占める重要性の順位がわかろうというものである。しかしそれでも、10フィート（3メートル強）以内から打つ彼のパットは逸品だった。ボブ・ロスバーグに言わせると、その範囲からカップ・インすることにかけては、ホーガンは名手の一人だった。バイロン・ネルソンは、ホーガンは3フィート（90センチ強）のパットを一度も外さないで何週間もプレーすることができたと語っている。ホーガンがあれほど何度もロー・スコアを出した理由がわかろうというものだ。彼は正確無比なアイアン・プレーを最大限に生かしたのである。

ホーガンが、サム・スニードやトミー・ボルトやその他の連中とは違って、当時次第に発展しつつあったシニア・ツアーで戦わなかったことは本当に残念なことだ。彼は、実力どおりのプレーができないのならプレーはしたくないと考えた。ここに、ホーガンの性格を窺い知ることができる。しかしそれでも、ホーガンが1950年代の後半に本格的な競技生活から退いたにもかかわらず、いわゆる〝ホーガンのクローン〟たちが今日でも至るところで目につくのは驚くべきことだ。ゴルファーたちはホーガンの名前入りの帽子をかぶり、彼と同じ白いシャツを着て、グレーのズボンと黒いゴルフシューズをはき、ホーガン並みのスウィング・プレーンを見つけることを夢見ているのだ。今日もホーガンは、あいかわらずゴルフ・シーンに欠かせない存在であり、永遠にそうあり続けることだろう。

『モダン・ゴルフ』でホーガンは、25年間にわたるプレーと練習で培ってきた彼の考えを簡略化して綴った、と語っている。だが彼は、もしかしたら真実の一部だけを語り、読者に行間を読むことによって真実を発見させようとしたのではないだろうか。もしそうだとしたら、彼はわれわれを少しばかりからかうことによって、同著の内容をもっと深く掘り下げるばかりか、われわれなりの方法でスウィングについて学ぶために、練習場の芝をクラブヘッドでさらに深く掘り下げさせようとしたのだろうか。答えは永遠に見つからないだろう。

しかしわれわれは、ホーガンは実験をとおして自分にもっとも適した方法を見出すことをすべてのゴルファーの義務であると考えていた、という点をたしかに認識している。ホーガンは、いくつかの主要な基本の習得が不可欠である点を明確に理解することを、われわれに求めたのである。しかし彼は同時に、ゴルファーはなにからなにまですべてを他人が与えてくれることを期待してはならないと考えていた。事実、ホーガン自身がすべてを他人からもらったわけではない……いや、彼はほとんどすべてを自前で達成しているのだ。本著執筆に当たって、わたしはホーガンの『モダン・ゴルフ』の精神を正しく洞察するための材料を提供し、説明をできるだけ簡略にすることによって、ゴルファー諸氏が同著の内容をさらに明確に理解できるように努めたつもりである。

ホーガンは厳しい時代に育ち、ひたむきな意欲と忍耐心で頂点に立った。その性格のために、マスコミですら彼を難物と考えた。イギリスで高い人気を集めた作家でゴルフ・アナリストのヘンリー・ロングハーストは、かつて「テキサスのタフ・ガイ」のタイトルでホーガン評を書いた。この記事は『モダン・ゴルフ』の原著がアメリカで発刊されたと同じ1957年に発表された。ホーガンが近寄りがたい人間だったことは、周知の事実だった。若手のツアー・プレーヤーが教えを請うために彼を訪れたときのエピソードは無数にある。彼らは決まって、いくぶん軽くあしらわれたように感じたと語っている。そうした話を聞くと、わたしはいつもゲーリー・プレーヤーがホーガンに電話をしたときの有名な話を思い起こす。その話とは、つぎのようなものだ。あるとき若き日のプレーヤーがホーガンに電話をかけて、恐る恐る「ミスター・ホーガン、少々アドバイスをしていただきたいのですが」と言う。すると、ホーガンはこう尋ねる。「坊や、ベン・ホーガンのセットを使ってんのかい？」。プレーヤーが「いえ、ダンロップのセットですが」と答えると、ホーガンはつぎのように切って捨てるのだ。「そうか。では、ミスター・ダンロップに聞いてみるんだな」

ホーガンは自分を酷使した。まるで顕微鏡で調べるように細密に自分のスウィングを観察して、欠けている部分を突き詰め、ボールを正しく打つために必要なあらゆる要素を修正し、改めて構築し直したのだった。そうするなかで彼は、文句なしに史上もっともタフな部類に属するゴルフ・マインドを培ったのである。すでに述べたように、彼は大柄な男ではなかった。だから、他人より優位に立つためのなにかが必要だった。そして、練習……それもわが身を酷使するような猛練習……こそ、彼にとって優位に立つための第一条件だったのである。そして猛練習こそ、ロングハーストがホーガンの最強の武器と呼んだ〝ゴルフ・マインド〟を開花させたのである。

「ホーガンは優れた集中力を養えば、かならず優位に立てると、冷徹かつ周到に決断した」とロングハーストは書いている。「その過程に数年を費やしたが、彼はゴールを達成した。その結果、彼は自分の気持ちを完全にコントロールすることによって、たちの悪い観衆も、不運なショットも、大金がかかったパットのプレッシャーも含めて、すべてのことにまったく動じなくなった。そして決定的な瞬間に、彼が練習中と同じようなショットを打つことを妨げるものは、もはやなにもなかったのである」

「なんと冷たい人間か、と思われるかもしれない。しかし、冷ややかな外見の内側では、彼にゴルフ界で不滅の名声をもたらした、ゴルフへの熱い情熱が煮えたぎっていたのだ。多くの人々は、ホーガンが閉鎖的で非社交的だったのは残念だ、と言う。そして、もっと積極的にゴルフに〝恩返し〟をすべきだったと言うのである。しかしホーガンは、恩返しをきちんとしている。彼はあらゆるゴルファーに無言のプレゼントをしてくれた、とわたしは思う。彼は、ゴルファーは独りで練習場に立ったとき、初めて、自分自身と自分のスウィングが理解できることを行動で示したのである。練習場で、そして最終的にはコースで、永続的な満足を見出すことができることを示したのである。ホーガンがいくぶん秘密主義で、超然としていたことは事実だ。しかし、確実なことが一つある。つまり、ホーガンがヒーローの一人として君臨したことで、ゴルフはより豊かになったということだ。1997年にホーガンが死去したあとで、ジャック・ニクラスはつぎのような名言を吐いている。"われわれは、ゴルフが生んだ最高のショット・メーカーを失ったと思う……"」

ところで、ゴルフの将来はどう変わってゆくのだろうか。ホーガンは『モダン・ゴルフ』のなかで、ゴルフはいろいろな形で進歩するだろうと予言しているが、確かにこれまでに著しい進歩が見られた。

この進歩は、ビデオやコンピュータを使ったスウィングの細部の分析や、コミュニケーションの分野で著しい。教える側はより簡略に、より理解し易い形で情報が伝達できるようになった。生体力学や精神面の研究の進歩、フィットネスの導入、ゴルファーに合わせた精密なクラブ作りなどはすべて、ゴルフの将来に大きな役割を果たすだろう。高度の技術を持った若いスポーツマンがゴルフ界に進出して、ボールを限りなく遠くまで飛ばすことだろう。しかし、それでもゴルフは、大半のゴルファーにとっては苛酷にして苦悩に満ちたゲームであり続けることだろう。そして同時に、人間の本性に惑わされたゴルファーが安直な解決策やヒントや新製品のドライバーなどに手を伸ばすことによって、健全な進歩がたぶん阻まれるゲームであり続けることだろう。これはゴルフの本質であると同時に、人間の本質でもあるのだ。この点は、ゴルフ発祥の時代から変わっていないし、これからも変わらないとわたしは願う。わたしはゴルフと縁のない世界中の人々が、人間の気持ちを限りなく掻き立てるこのゴルフというゲームの魅力と神秘について学び、新しい趣味として楽しむ機会を得てほしいと思う。ホーガンはゴルフ・ライフをとおして、このゲームに魅せられ続けた。わたしも同じである。ゴルフは、あらゆるゴルファーがなんらかの貢献をし、参加することのできる、果てしない研究であり、旅である。過去から学ぶことによって、すべてのゴルファーはこれから歩む自分自身の道を見つけることができる。その道はゴルファーをさらに多くの疑問へと導くが、そのことこそ、探求の旅に終わりのないことを示す証しなのである。

これこそ、ゴルフというゲームが素晴らしい理由なのだ。このゲームにおけるベン・ホーガンの名前は、ビジョンの達成とショット・メーキングの完成を厳しく追求した、一人の偉大なゴルファーの純粋性と同義なのである。

KEITH WITMER '99

BEN HOGAN

記録　巨匠ベン・ホーガンの足跡

生まれ｜1912年４月13日、テネシー州スティーブンビル生まれ
結婚｜1935年４月14日、同州バレリー・フォックスで挙式
没｜1997年７月25日、同州フォートワースで病死、享年85

巨匠ベン・ホーガンの偉大な足跡――優勝と栄誉の記録

赤字はメジャー・トーナメント

1938年
ハーシー・フォアボール選手権優勝

1940年
ノース・アンド・サウス・オープン選手権優勝
グリーンズボロ・オープン選手権優勝
アッシュビル・オープン選手権優勝
グッドール・ラウンドロビン選手権優勝
バードン・トロフィー受賞
年間賞金獲得額１位　$10,655

1941年
マイアミ・フォアボール選手権優勝
アッシュビル・オープン選手権優勝
インバーネス・フォアボール選手権優勝
シカゴ・オープン選手権優勝
ハーシー・オープン選手権優勝
バードン・トロフィー受賞
年間賞金獲得額第１位　$18,358
アメリカ・ライダーカップ代表

1942年
ロサンゼルス・オープン選手権優勝
サンフランシスコ・オープン選手権優勝
ヘイル・アメリカ・オープン選手権優勝
ノース・アンド・サウス選手権優勝
アッシュビル・オープン選手権優勝
ロチェスター・オープン選手権優勝
バードン・トロフィー受賞
年間賞金獲得額１位　$13,143

1945年
ナッシュビル・オープン選手権優勝
ポートランド・オープン選手権優勝
リッチモンド・オープン選手権優勝
モンゴメリー・オープン選手権優勝

オーランド・オープン選手権優勝

1946年

フェニックス・オープン選手権優勝
テキサス・オープン選手権優勝
セント・ピーターズバーグ・オープン選手権優勝
マイアミ・フォアボール選手権優勝
コロニアル・ナショナル・インビテーション選手権優勝
ウェスターン・オープン選手権優勝
グッドール・ラウンド・ロビン選手権優勝
インバーネス・フォアボール選手権優勝
ウィニペッグ・オープン選手権優勝
全米プロ・ゴルフ選手権優勝
ゴールデン・ステート選手権優勝
ダラス・インビテーショナル選手権優勝
ノース・アンド・サウス・オープン選手権優勝
バードン・トロフィー受賞
年間賞金獲得額第１位　$42,556

1947年

ロサンゼルス・オープン選手権優勝
フェニックス・オープン選手権優勝
マイアミ・フォアボール選手権優勝
コロニアル・ナショナル・インビテーション選手権優勝
シカゴ・オープン選手権優勝
インバーネス・フォアボール選手権優勝
インターナショナル選手権優勝
アメリカ・ライダーカップ代表、キャプテン

1948年

ロサンゼルス・オープン選手権優勝
全米プロ・ゴルフ選手権優勝
全米オープン選手権優勝
モーターシティ・オープン選手権優勝
ウェスターン・オープン選手権優勝
インバーネス・フォアボール選手権優勝
リーディング・オープン選手権優勝
デンバー・オープン選手権優勝
リノ・オープン選手権優勝
グレンデール・オープン選手権優勝
ビング・クロスビー・プロアマ選手権優勝
バードン・トロフィー受賞
年間賞金獲得額第１位　$32,112
プレーヤー・オブ・ザ・イヤー賞獲得

1949年

ビング・クロスビー・プロアマ選手権優勝
ロングビーチ・オープン選手権優勝
アメリカ・ライダーカップ・チームキャプテン

1950年

グリーンブライア・インビテーション選手権優勝
全米オープン選手権優勝
プレーヤー・オブ・ザ・イヤー賞獲得

1951年

マスターズ選手権優勝
全米オープン選手権優勝
ワールド選手権優勝
アメリカ・ライダーカップ代表
プレーヤー・オブ・ザ・イヤー賞獲得

1952年

コロニアル・ナショナル・インビテーショナル選手権優勝

1953年

マスターズ選手権優勝
パン・アメリカン・オープン選手権優勝
コロニアル・ナショナル・インビテーション選手権優勝
全米オープン選手権優勝
全英オープン選手権優勝
プレーヤー・オブ・ザ・イヤー賞受賞
全米プロ・ゴルフ協会の「名誉の殿堂」入りを果たす

1959年

コロニアル・ナショナル・インビテーション選手権優勝

1965年

アメリカのゴルフライターによって、
「史上最高のプレーヤー」に選出される。

1967年

アメリカ・ライダーカップ・チームキャプテン

1974年

新たに創立された「世界ゴルフの殿堂」入りを
果たした13名のゴルファーの一人となる

1976年

ボビー・ジョーンズ賞受賞

“ドクター・L”との交流（訳者あとがきに代えて）――塩谷 紘

本書は、世界的なゴルフ・インストラクターとして知られるデビッド・レッドベター氏による5作目のレッスン書である。原著がアメリカやイギリスで発行されたのが、2000年の11月上旬だから、日本のホーガン・ファンやレッドベター氏を信奉する人々、そしてその他多くのゴルフ愛好者の皆さんに、英語圏の読者にさほど遅れを取ることなく読んでいただけることになった。訳者としては、いささかほっとしているところだ。

レッドベター氏の処女作、『ザ・アスレチック・スウィング』（ゴルフダイジェスト社、1992年刊。原題は〝The Golf Swing〟、1990年）が日本で紹介されてから、早いもので今年で14年目に入った。訳者は縁あって、氏がこれまでに著したすべてのレッスン書の邦訳を手がける機会を得たが、過去10数年間に翻訳や雑誌のインタビューの仕事をとおして、氏に直接お目にかかってそれぞれの作品の細部について質問したり、氏のゴルフ哲学や人生観を含む様々な事柄について語っていただいたりする機会を、繰り返し得ることができた。そして、そのような交流をとおして、レッドベター氏との間に、ふつうの「筆者対翻訳者」以上に深い人間関係が育まれたのは、望外に幸運なことだった。

イギリス生まれのレッドベター氏と話すのは、快い体験である。氏は、少し鼻にかかった小気味よいテノールのイギリス英語で、まるでBBCのアナウンサーのように澱みなく、込み入った内容の事柄をじつにわかりやすく、理路整然と語るのである。まさしく、「立て板に水」なのだ。

レッドベター氏との知遇を得て以来、私はアメリカのゴルフ界が生んだ鬼才、ベン・ホーガンのゴルフについて語るなら、氏こそ最適任だと考えてきた。じつは、わたしも『モダン・ゴルフ』を座右の書としてきた多くのゴルフ愛好者の一人であり、これまでに発刊されている数冊のホーガン伝記を読んで、巨匠ホーガンとレッドベター氏の2人は、一つの偉大な共通の糸で結ばれていると信じるに至ったからだ。その共通点とは、つまり、ホーガンもレッドベターも完璧なスウィングを、修行僧並みに滅私的に追求する「求道者」的存在だということだ。

だからわたしは、ホーガンがテキサス州フォートワースの自宅で85歳で死去してから1年後の98年の秋に、レッドベター氏から「ベン・ホーガンの『モダン・ゴルフ』を検証する作品を書くことになった」と聞いたとき、わが意を得たりとばかりに喜んだものである。

ホーガンは、本著でレッドベター氏が指摘しているとおり、飽くなき探求心と超人的な猛練習をとおして、自らの可能性を独力で徹底的に追求した結果、ついに納得できるスウィングを作り上げ、その基本的な部分について名著『モダン・ゴルフ』で語った。その巨匠のスウィング論を、「現代のスウィング研究の第一人者」を自他共に認め、世界のトップスターとして活躍中のアーニー・エルスやニック・プライスらを含む数々の愛弟子たちから、敬意を込めて〝ドクター・L〟と呼ばれているレッドベター氏が分析するというのだから、世界中のホーガン・ファンとゴルフ愛好者は無関心ではいられないだろうと思った。しかし、原著の完成は、ベン・ホーガン未亡人の逝去を含むもろもろの事情のために、予想外の時間を要したのだった。

2000年の晩秋のある週末、訳者はフロリダ州オーランドにある「レッドベター・ゴルフ・アカデミー」本部を訪ね、いつものように暖かく迎えてくれた〝ドクター・L〟とたっぷり歓談する機会を得た。この年に入って3回目の対面だったが、その折に、ベン・ホーガンに対して氏が抱いている深い尊崇の念を痛感させられたものである。

以下は、その日「世界一のスウィング・ドクター」と交わした対話の概要である。「訳者あとがき」に代えて、ここで披露させていただく。

——労作の完成、おめでとうございます。出来ばえには満足しておられますか。

レッドベター　ありがとう。自分で言うのはいささか不謹慎でしょうが、敢えて言わせていただけるなら、自分でもなかなかよくできたと思います。

——今回の作品は、どのレベルのゴルファーを対象に執筆されたのですか。

レッドベター　欲張っていると言われるかもしれませんが、じつは今回も、これまでに発表した4作のレッスン書の場合と同じように、読者対象はあらゆるレベルのゴルファーです。ビギナーから現役のツアー・プロに至る、広い読者層を対象にして執筆しました。

ホーガンの『モダン・ゴルフ』は歴史に残る名著であり、発行されてからほぼ50年の間に、世界中で数多くのゴルファーが読んできました。日本にも同著を読んでスウィング練習をした人々は非常に多いことでしょう。

しかし、名著だが内容的に難しくてよくわからないところがある、という人々がかなり大勢いることも事実です。ですから、ホーガンの理論を様々なレベルのゴルファーのためにわかりやすく解説することを、本著執筆の主目的にしました。

わたしは、文句なしにゴルフ史上最も優れたプレーヤーの一人であるホーガンを、「近代ゴルフ・インストラクションの父」として尊敬しています。わたしは、子供のころからホーガンに畏敬の念を抱いており、ニック・プライスと優勝を競い合ったジンバブエ（旧ローデシア）におけるジュニア・プレーヤーの時代に、すでに『モダン・ゴルフ』を熟読し、じつに多くのことを学びました。

わたしは、アマチュア時代からプロ時代をとおして、ホーガンのスウィング論を非常に優れた理論だと考えていました。そして、26歳で競技生活から足を洗い、インストラクターの道を歩むようになってからも、この気持ちはすこしも変わっていません。事実、わたしにとっては処女作であるレッスン書『ザ・アスレチック・スウィング』は、『モダン・ゴルフ』の組み立てを参考にして執筆したのです。

——今回の作品は、ビギナーにもツアー・プロにも有益であると伺いましたが、具体的にどのような点でそうなのでしょうか。

レッドベター　本著の組み立ては、『モダン・ゴルフ』と同じです。つまり「グリップ」、「アドレス」、「バックスウィング」、「ダウンスウィング」、「まとめ」の５章によって構成されているわけです。そして、ホーガンが約50年前にスウィングに関して説いた基礎的で重要なポイントを、いまの時代にインストラクターを務めているわたし自身の観点を加えて、可能な限りわかりやすく解説しました。ですから、小著は、ビギナーにとっては、スウィングの基本に関する易しい解説書になることでしょう。

一方、上級者や現役のプロ・ゴルファーはまず第一に、本著に掲載された合計85枚に上る、巨匠ホーガンのレッスン風景を示す未公開の白黒写真に興味を抱くことでしょう。ホーガンは今日なお、世界中のプロ・ゴルファーの間で〝史上もっとも優れたショット・メーカー〟として非常に尊敬されていますが、かなり気難しいタイプのゴルファーだったためか、生前の彼の姿を写した写真はあまり多く出回っていないのです。

ゴルフのスウィングは、『モダン・ゴルフ』が発行された50年代の後半から、クラブとボールの改良に伴って大きく進化してきました。しかし、ホーガンが説いた数々のスウィングの基本は、本質的には現代でも通用する真理なのです。ですから、小著を通して上級者や現役のプロ選手はスウィングの〝原点〟に立ち返り、改めて巨匠ホーガンのスウィング論の本質を咀嚼《そしゃく》すると同時に、ボールやクラブの改良に伴ってスウィングが進化した結果、約半世紀前にホーガンが確立したスウィング論の一部で、いわば〝時代遅れ〟になった部分を認識することができるでしょう。これは、大変重要なポイントだと思います。

――1998年に、『モダン・ゴルフ』のアーチスト、アンソニー・ラビエリが同著用のイラストを描くために使ったホーガンの白黒写真が発見されたと伺ったときは、大変驚きました。どのような状況下で、どのような写真が何点くらい見つかったか、改めて話していただけませんか。

レッドベター　ラビエリ自身はかなり前に亡くなっていますが、ラビエリ邸の屋根裏に残されていた書類のなかから、約350枚に上るホーガンの白黒写真が発見されたわけです。98年の夏のことでした。遺族はこれは貴重な資料に違いないと判断し、ゴルフ関係の出版社としてよく知られるSleeping Bear Press社に連絡を入れました。その後すぐに、わたしに見て欲しいものがあると言って、そこの責任者が電話をくれたのです。

よく聞いてみると、発見されたのは、なんと『モダン・ゴルフ』執筆の準備の一環として写された白黒のスチール写真で、巨匠ホーガンのレッスン風景をとらえたものだと言うのです。そのような写真がそれほど多数、未公開のまま眠っているなどとはまったく思ってもみなかったので、あのときは非常に驚き、興奮しました。なにしろこれは、いわばゴルフ界における「考古学的大発見」ですからね。ほどなく、わたしはその出版社の責任者に会い、巨匠のレッスン風景を克明に写したそれらの白黒写真を見せてもらいました。これは、わたしにとっていわば巨匠との〝対面〟でしたから、まるで子供のように興奮しました。

ホーガンはどこか近寄りがたい雰囲気を漂わせ

た人間で、そのせいもあってか、生前の彼の写真はあまり多く公開されていません。それに、これまでに発表されている写真で見るホーガンは、いつも眼光鋭く、威圧感に満ちています。ところが、ラビエリのデッサン用に写した一連の写真は、いずれも人間味の滲み出た、自然体のホーガンをとらえていました。なにしろ、くわえ煙草姿のホーガンまで写っていたのですから。写真を点検したのち、わたしは大急ぎで執筆協力者を探し、ただちに執筆の準備に取りかかりました。

── この前にお邪魔したとき、執筆を通してホーガンの人間性が以前より、よく理解できた、と言われましたね。

レッドベター　そのとおりです。執筆のためにおこなったリサーチを通して、わたしはホーガンのあまり幸せではなかった生い立ちを知ることをきっかけに、彼の人間性に触れると同時に、極限までゴルフにコミットした彼の生活態度に深い感銘を受けました。また、これはよく知られていることですが、ホーガンは49年に愛車のキャディラックを運転中に観光バスと衝突して、瀕死の重傷を負っています。そのような大事故のあと、ホーガンは懸命にリハビリに取り組み、ヒザと肩の怪我は決して完治していなかったにもかかわらず、4年後の53年には年間3メジャー選手権制覇を遂げたのです。

これは2000年にタイガー・ウッズがようやく追いつくまでの47年間、他のいかなる選手の追随も許さなかった、歴史に残る大記録です。飛行機が嫌いだったホーガンは、生涯1度しか全英オープンに出場していません。つまり、初出場、初優勝なのです。もし、飛行機に乗ることを厭わなかったとしたら、ホーガンはあと何度か全英オープンを制覇していたことでしょう。

自分が納得するまで猛練習をする姿勢、飽くことのない探求心、そして完璧を追求し、いかなる犠牲も厭わずにゴルフにコミットする態度、また、常に勝利を念頭に置いたゲームへの没入の仕方は、尋常ではありません。これらのうちのどれ一つを取っても、ホーガンのやり方は凄まじく、人間業とは思えません。彼は決してサム・スニードのような天性のゴルファーではなく、努力の人でした。ホーガンが初めてメジャーを制覇したのは46年の全米プロ・ゴルフ選手権ですが、このとき彼はすでに34歳だったのです。ホーガンは内向的な性格で、寡黙でした。しかし、彼がごくたまにスウィングについて語るとき、周りにいたすべてのプロ選手たちは一言とも聞き漏らすまいと静聴したのです。

ホーガンは子宝に恵まれず、友達もあまり多くいませんでした。しかしわたしは、小著執筆のためのリサーチをとおして、巨匠ホーガンに以前にも増して親近感を感じ、尊敬するようになりました。

── ところで貴著は、合計何カ国語で発刊される予定ですか。

レッドベター　いまのところ、日本語の他にドイツ語版とフランス語版が発刊されていますが、『ザ・アスレチック・スウィング』と第2作の『アスレチック・スウィングの完成』（ゴルフダイジェスト社刊、93年。原題〝Faults & Fixes〟、93年）

はこれまでにその他、イタリア語、スウェーデン語、などを含む合計8カ国語で発刊されていますから、小著もそのうちにおそらくもっと多くの外国語に翻訳されることでしょう。

――今後の執筆の計画についてお話ください。

レッドベター　いま考慮中のテーマは3つほどあります。一つは『ゴルフ簡易百科事典』とでも言いましょうか、ゴルフ用語をルールやマナーを含めて、わかりやすく解説するものです。たとえば、Aだったら〝address（アドレス）〟、Bなら〝buried lies〟（ボールがバンカーあるいはラフに埋まった状態のライ）、Cなら〝cut shot〟（〝カット〟したために、サイドスピンがかかったショット）のような項目をABC順に列挙し、簡潔な解説を施してゆくもので、読者がゴルフに関する知識やマナーを身に付け、コースで遭遇するあらゆる状況に、臨機応変に対応できるようなアドバイスを提供するのが目的です。

そのほか、目下、ゴルフの〝メンタル〟な面に関する解説書の構想を練っていますが、そのつぎに来るのは、おそらくゴルフの〝フィジカル〟（身体的）な面についての解説書になるでしょう。いずれにしても、今後ともできるだけ多角的にゴルフに関する執筆活動を展開することによって、世界中のゴルフ愛好者がすこしでもよく、このゲームを理解する一助になりたいと思っています。

――81年にジンバブエからアメリカに移住し、インストラクターとして不動の地位を築かれました。2000年に、Golf Digest誌に「アメリカでナンバーワンのインストラクター」に選出され、Golf Monthly誌には、「アメリカを代表する10人のインストラクター」の一人に指名されました。インストラクターとしての今後の抱負について話していただけませんか。

レッドベター　わたしは「デビッド・レッドベター・ゴルフ・アカデミー」を基盤とした、日本を含む世界の各地におけるインストラクションの充実に、特に力を入れてゆきたいと思っています。アカデミーの本部は、2000年にフロリダ州オーランドのレイク・ノナ・カントリー・クラブから、新設のチャンピオンズ・ゲート・ゴルフ・リゾートに移りました。このリゾートは、同じオーランドにありますが、グレッグ・ノーマン選手のデザインによる18ホールのチャンピオンシップ・コースが2つあり、ロッジやホテルなどの宿泊施設もすべて完成しました。プラスチック製のマットではなくて、本物のターフの上でボールが打てる広大なドライビング・レンジや、アプローチ・ショット用のグリーンが20面以上もある理想的な練習施設で、わたしにとってはまさに「夢のゴルフ・アカデミー」なのです。

世界各国からあらゆるレベルのゴルフ愛好者が常時ここに集まり、アカデミーの優れたインストラクターとコンピュータを駆使した各種の機器の助けを借りて、スウィングだけではなく、ゴルフのメンタルならびにフィジカルな部分のカウンセリングも受けられるような、大規模な施設が誕生したのです。一度に100人くらいの生徒が収容できます。ずっと前からわたしは、いつの日かこのような練習施設を開設して、あらゆる年齢層のゴルファーを指導したかったのです。

もちろん、この施設はジュニア・ゴルファーの育成にも適しています。わたしは若手ゴルファーの育成には昔から興味を抱いており、今後はこの分野にもさらに力を入れてゆくつもりです。

――アメリカに移住した時点を振り返って、なにか特別な感慨はありますか。

レッドベター　〝遥けくも来つるものかは……〟という感じです。81年に、ローデシア（現在のジンバブエ）からゴルフのメッカであるアメリカにやって来て、81年と82年は、イリノイ州シカゴのゴルフ・クラブでインストラクターをやりました。そして、83年にフロリダ州のグリーンリーフという名のゴルフ・リゾートに、「レッドベター・ゴルフ・アカデミー」を創設したのです。将来への展望ははっきりしませんでしたが、とにかく一生懸命にスウィングの研究を続け、夢中で教えました。あのときのアカデミーの建物の広さは、わずか5メートル四方のちっぽけなものでした。しかし、今回開設された新しいアカデミーは、建物の床面積だけでなんと800平方メートル近くもあります。

これはまさに、〝アメリカン・ドリーム〟だと思います。26歳でヨーロッパ・ツアーから足を洗ってインストラクターの道を歩み始めて、すでに28年。わたしは今年54歳になりました。その間に結婚して、家庭を持ちました。

――“ドクター・L”の家族構成は、奥様がアメリカの女子プロだったケリー夫人。そして、お子さんたちには、長男のアンディ君、次男のジェームス君、それに長女のハリーちゃんでしたね。全員、ゴルファー志望なのですか。

レッドベター　アンディは現在22歳になりますが、プロ・ゴルファーではなくてゴルフ・インストラクターになるため、レッドベター・アカデミーで目下修行中です。長女のハリーは13歳になりますが、息子たちとは違って、歌やダンスのほうがゴルフよりも好きで、ゴルフはほとんどしません。

次男のジェームスはまだ11歳です。この子はゴルファーとしての資質に特に恵まれているようで、ショート・ゲームの感覚には素晴らしいものがあります。しかし、まだなにぶんにも子供なので、あまりプレッシャーをかけないようにしながら、将来を見守ってやりたいと思っています。

3人ともヨチヨチ歩きのころからおもちゃのクラブを振り回していました。ですから、ゴルファーになるのには非常に恵まれた環境で育ってきたと言えるでしょう。しかし、何ごとにおいても親が子供に圧力をかけすぎるのはよくないことだろうと思いますので、子供たちの適性をじっくりと見ながら、家内と一緒に正しい子育てをしていこうと考えています。

もっともわたしとしては、もし子供がそう欲するなら、タイガー・ウッズに挑戦できるようなゴルファーに育て上げたいと思いますが……。

――ところで、そのタイガーですが、彼の実力を、どのように評価しておられますか。

レッドベター　いまのところ、体力と精神面、それも特に超一流のプレーヤーになろうという意欲の面で、タイガーを凌ぐ選手はいないのではないかと思います。もちろん、タイガーのスウィングは決して完璧ではなく、クラブヘッドがインサイド・アウトに走り過ぎる傾向が目につきますが、これに脚の動きのスピードが加味されたときには、「ブロック・ショット」、つまり右に押し出す、いわゆる〝プッシュ・ショット〟が出る場合があります。しかし、タイガーは、ミス・ショットを優れたリカバリーの技術で補っています。

タイガーが今後いったいどこまで強くなるかは、彼が史上最強の選手になりたいという意欲をどこまで維持していけるかどうかという点にかかっている、と言ってよいでしょう。勝利を重ね、莫大な賞金を手にすることに飽きてしまうことがないとは言えませんし、ゴルフ以外のことに興味を持つ可能性もまったくないとは言えないでしょう。

しかし、本人がゴルフに対してコミットする意欲を失わない限り、「タイガー時代」はかなり長いこと続くだろうとわたしは思います。でも、アメリカのゴルファーは層が厚く、タイガーによって刺激を受けた多くの優れたゴルファーが、〝打倒タイガー〟を目指して激しい練習を積んでいることは無視できません。

いずれにせよタイガーはすでに、世界のゴルフのレベルを確実に数段階上げるという優れた業績をもたらしました。その結果、世界のゴルフはさらに充実し、間違いなくいままで以上に面白くなっています。

――そのような流れのなかで、日本のゴルフがどんどん取り残されてしまうような気がしてならないのですが。

レッドベター　わたしは以前から繰り返し指摘してきたとおり、日本はこれまでに優れた才能のゴルファーを輩出してきました。日本のゴルフにとって問題なのは、日本人の肉体的適性などではなく、ジュニア時代からのゴルファー育成を可能にする基本的なインフラの欠如なのです。関係各位がこの点に真剣に取り組んで、早急に具体的な対応策を構築しない限り、残念ながら日本は何年たっても世界のゴルフに追いつくことは無理でしょう。諸外国はすでに、そのような策を実行に移しているのですから。

しかしわたしは、日本のそのような現状を云々すると同時に、日本の若手選手の海外遠征に対する消極的な姿勢そのものが日本のゴルフの将来にとって非常に大きな問題だと常々考えています。これはたぶん、日本である程度名が売れるようになれば、敢えて苦労して海外を転戦しなくても財政的に安定することから来る、いわゆる「ハングリー精神」の欠如に起因する現象ではないかと思います。しかし、ハングリーにならなければ、日本のゴルファーは決して「国際競争」に勝てないでしょう。日本の若手はいまや国際的に活躍している韓国を含む各国の若手ゴルファーを大いに見習うべきでしょう。

わたしとしては、今後も自分のアカデミーをとおして、日本におけるインストラクションをさらに充実させ、ゴルフに対するコミットの面でも優れたゴルファー育成のお手伝いをしたいと思っています。

――ありがとうございました。

あらゆるレッスンは、
モダン・ゴルフに通ずる!

いまなおゴルフ理論のベースとなっている
ゴルフ・レッスン書の永遠のバイブル。

ハンディ版
モダン・ゴルフ
ベン・ホーガン 著

塩谷 紘 訳　A5判／定価:1,300円＋税
ベースボール・マガジン社

※本書は2000年12月27日に刊行された『モダン・ゴルフ徹底検証』をハンディサイズに改めたものです。

訳者略歴　塩谷　紘（しおや・こう）

AP通信社記者、リーダーズ・ダイジェスト（日本版）編集長、文藝春秋北米総局長（1995-2001年）を経て、現在、東京を拠点にジャーナリスト活動（主として国際問題）を展開中。著・訳書多数。ゴルフ関係の訳書は、下記の通り。
『ザ・アスレチック・スウィング』（デビッド・レッドベター著、ゴルフダイジェスト社、1992年）、『アスレチック・スウィングの完成』（デビッド・レッドベター著、ゴルフダイジェスト社、1993年）、『ザ・エンサイクロペディア・オブ・ゴルフ』（マルコム・キャンベル著、新星出版社、1994年）、『世界の名手に学べ』（デビッド・レッドベター著、新潮社、1996年）『レッドベターの究極の練習法』（デビッド・レッドベター著、新潮社、1998年）、『新装版モダン・ゴルフ』（ベン・ホーガン著、ベースボール・マガジン社、2002年）『弾ゴルフ』（ベースボール・マガジン社、2004年）。

ハンディ版《ばん》　モダン・ゴルフ 徹底検証《てっていけんしょう》

2006年11月10日　第1版第1刷発行
2022年5月31日　第1版第11刷発行

著者　デビッド・レッドベター
訳者　塩谷《しおや》　紘《こう》
発行人　池田哲雄
発行所　株式会社ベースボール・マガジン社
〒103－8482
東京都中央区日本橋浜町2-61-9 TIE浜町ビル
電話　03（5643）3930（販売）
電話　03（5643）3885（出版）
振替　00180－6－46620
https://www.bbm-japan.com/
印刷／製本　大日本印刷株式会社

© Ko Shioya　2006
＊乱丁、落丁がございましたらお取り替えいたします。
＊定価はカバーに表示してあります。

Printed in Japan
ISBN978-4-583-03925-1　C2075